KB183558

쫄딱
망한
경매

지지옥션

평범한 이웃들에게서 배우는 경매와 인생의 쓴맛 단맛

1년 동안 국고로 몰수되는 경매 입찰 보증금이 얼마인지 알고 계시나요? 무려 783억 원(2017년 기준)에 달합니다. 몰수된 건수도 우리의 예상을 훨씬 뛰어넘는 3,623건에 이릅니다. 주말과 공휴일을 제외하고 경매법정이 열리는 날이 1년에 약 250여 일 정도인 점을 감안하면 입찰이 진행되는 날마다 평균 15건씩, 3억 원이 넘는 돈이 입찰자의 주머니에서 국고로 옮겨 가고 있는 상황입니다. 이렇듯 매년 적지 않은 입찰 보증금이 몰수되는 가장 큰 이유는 낙찰을 받은 입찰자가 실수, 착오, 오해, 경험 부족 등으로 인해 잔금 납부를 포기해서입니다.

때로는 실소를, 때로는 안타까움을 자아내는 이런 실패사례들이 산술적으로 매일 15건씩 발생하지만, 대부분의 경매투자자들이 접하는 것은 수익률을 앞세운 성공사례 일색입니다. 물론 성공사례를 접하는 것이 도움이 안 된다는 뜻은 아닙니다. 그러나 오로지 성공사례만 보고 듣다 보면 실소와 안타까움을 불러일으키는 주인공이 바로 여러분이 될 수도 있다는 점을 간과하지 말아야 합니다. 모두들 꺼려하는 실패 이야기도 들려줌으로써 독자들에게 진정으로 필요한 것을 전달하자는 것이 바로 '쫄딱 망한 경매'라는 다소 도발적인 제목의 책이 나온 이유입니다.

본서에는 총 9건의 경매 실패사례가 실려 있습니다. 대부분은 부주의 등으로 권리분석에 실패한 케이스지만, 과욕을 부리다 손해를 본 사례도 있습니다. 특히 매우 저렴하게 낙찰을 받았음에도 딱한 임차인의 사정은 개의치 않고 자신의 이익만을 추구하는 낙찰자에 대해 법원이 '신의성실의 원칙'을 천명하며 일침을 가한 사례에서는 경매뿐만 아니라 인생을 살아가는 데 있어 우리가 어떤 마음가짐을 가져야 하는지 돌이켜보게 합니다. 이런 의미에서 경매 실패사례는 꼭꼭 숨겨야 할 부끄러운 자화상이 아니라 경매라는 생태계, 나아가 우리 사회를 더 나은 방향으로 이끌어줄 소중한 자산이라고 할 수 있습니다.

실패사례가 자산이라면, 성공사례는 동기부여를 위한 최고의 자원입니다. 평범하기 그지없는 우리 이웃들이 다양한 이유로 경매를 만나면서 차근차근 성공을 거두는 과정을 보는 것은 그 자체로도 매우 접하기 어려운 경험입니다. 아이의 하교 시간에 맞춰 집으로 돌아가야 했던 주부가 경매를 뛰어넘어 그 어렵다는 서울 아파트 청약에 성공하는가 하면, 새벽까지 선배 술시중을 들어야 했던 샐러리맨과 고등학교를 중퇴한 유리공장 직원은 이제 어엿한 CEO가 되어 자신의 소중한 경험을 다른 사람들과 나누고 있습니다. 특히 경매를 두려워하고 어려워했던 저자들이 자기 자신과 세상을 긍정적으로 바라보기 시작하는 지점을 행간에서 찾아내는 묘미도 본서의 또 다른 매력이라고 할 수 있습니다. 경매를 통해 돈을 벌었다는 이야기만 늘어놨다면 본서는 빛을 보지 못했을 것입니다.

실제 주인공들이 들려주는 주옥같은 경매 실패 및 성공 사례는 단편적 기록이 아닌 투자와 사람에 대한 철학입니다. 인생에도 균형이 필요하듯 경매도 실패와 성공 사례가 적절하게 제공되어야만 진정한 투자 길잡이가 될 수 있을 것입니다. 본서를 계기로 앞으로 더 많은 사람들이 적극적으로 자신의 성공사례와 함께 실패사례도 공유할 수 있기를 기대해 봅니다.

지지옥션 회장 강 명 주

차례

차례

입찰보증금
최저경매가의10%
항고보증금
낙찰가의10%

왕소심쟁이 주부의 좌충우돌 경매 도전

도전사례 1 처음으로 낙찰의 기쁨을 맛보게 해준 아파트

도전사례 2 2등임에도 낙찰의 행운을 안겨준 아파트

도전사례 3 여름 휴가지에서 아파트 잔금을 치르다

도전사례 4 3년 만에 2억 이상의 수익을 안겨준 급매 아파트

도전사례 5 고민 끝에 당첨된 아파트 청약

왕소심쟁이 주부의 좌충우돌 경매 도전

박진희

40대 중반의 우리 주변에서 쉽게 만날 수 있는 평범한 주부. TV 연속극보다 재미있는 '명도 드라마'라는 새로운 장르를 접하면서 경매의 매력에 빠져들었다. 경매를 알기 전까지는 자신도 소심하다고 느낄 정도로 변화를 두려워했으나 지금은 멋진 부동산 투자자로의 변신에 성공했다. 특히 중소형 아파트 경매에 많은 경험과 노하우를 가지고 있어서 경매를 생각하는 주부들에게 유용한 모델을 제시하고 있다.

아이 등교 후에는 1인 기업의 CEO

아이가 등교하고 나면 저의 하루 업무도 시작됩니다. 지지옥션에 무조건 출근 도장부터 찍고, 전국 투어를 해서 물건을 찾습니다. 이때는 아파트뿐만 아니라 다양한 물건을 '관심물건' 항목에 넣어두고 결과를 보며 공부를 합니다.

손품을 들여야 할 때는 집에서 내근을 하며 손품을 팔고, 중개업소에 전화도 돌려봅니다. 만약 임장(물건을 직접 확인하러 현장에 나가는 일)을 가야 한다면 외근을 간다고 생각하며 열심히 걸어 다닙니다. 1인 기업이 별건가요? 제가 벌어서 저에게 월급 주면 그게 1인 기업 아닐까요? 아이가 하교하는 시간에 맞춰서 와야 하니 외근을 나갈 때는 웬만하면 시간이 정확한 지하철을 탑니다. 아이가 학교에서 돌아오면 1인 기업의 CEO가 아닌 주부로서의 활동이 시작됩니다. 아이와 학교 이야기를 나누고 수학 문제도 같이 풀고 하는 시간이 저에게는 무엇보다 소중합니다.

이 모든 게 부동산 경매를 시작하면서 생겨난 현재의 제 라이프스타일입니다. 집안일 때문에 시간이 필요한데 회사 눈치 보지 않고 스케줄을 편리하게 조정할 수 있게 해준 그때의 선택을 얼마나 다행으로 여기는지 모릅니다.

당연히 힘든 점도 있습니다. 회사처럼 일정한 시간이 지나면 알아서 월급이 나오는 것도, 누가 승진을 시켜주는 것도 아니니까요. 제가 움직이지 않으면 단 한 푼도 생기지 않으니 더욱 부지런히 공부하게 되고, 스스로 찾게 됩니다.

명도 드라마만 즐겨 본 '왕소심쟁이'

제가 처음부터 자칭 1인 기업의 CEO이자 주부였던 것은 아닙니다. 저는 원래 낯선 곳을 싫어해서 늘 가던 길로만 가고 익숙한 사람만 만나고 싶어 하는, 전형적으로 변화를 두려워하는 성격의 소유자입니다. 회사도 꽤 오랜 기간 동안 근무를 했었고 회사가 집인지, 집이 회사인지 구분이 안 될 정도로 패턴이 굳어진 삶에서 도전이라는 단어는 잊은 지 오래였습니다.

그러면서도 저는 창업과 부동산 관련 책을 많이 읽었습니다. 아마도 막연히 미래가 불안했던 모양입니다. 그러던 중 부동산 경매 책에 푹 빠져 지낸 적이 있습니다. 책에 나오는 명도 과정은 웬만한 드라마보다 더 재미있었습니다. 마치 제가 명도를 하는 것처럼 몰입해서 보던 중 '나도 한번 배워볼까?' 하는 생각이 들기도 했습니다. 그렇지만 딱히 실행에 옮기지는 못했습니다. 왜냐하면 굳이 안 해도 아무 일도 일어나지 않았으니까요.

그러다 시간이 흘러 아이가 초등학교에 입학할 때가 되자 저의 고민도 점점 커지기 시작했습니다. 엄마의 손길이 절실히 필요한 시기이다 보니 직장과 아이 중 하나를 선택해야만 했습니다. 하지만 소심한 성격 탓에 결정을 차일피일 미뤘고, 그러던 중 갑자기 몸이 아파서 수술까지 하게 됐습니다.

저는 이를 신의 계시라 생각하고 과감히 회사를 그만두기로 했습니다. 하지만 집에 있으면 아이를 살뜰히 보살필 거라는 건 온전히 저의 환상이었습니다. 오랜 회사 생활에 익숙해진 탓에 집에 있는 시간이 답답하고 불안했습니다. 이런 답답함에서 나오는 짜증이 오롯이 아이에게 향할 것만 같아 두려웠습니다.

적게 벌어도 안 버는 것보다 낫다

이대로는 안 되겠다 싶어 저는 아이가 등교한 시간을 이용해 할 수 있는 일들을 찾기 시작했습니다. 한때 책으로는 재미있게 읽었지만 막상 도전해보지 못했던 경매가 떠올랐고, 이번에는 아주 잘하고 싶다는 마음까지 들었습니다. 이렇게 마음을 먹고 나니 경매를 공부하고 임장도 다니는 게 너무 재미있었습니다.

경매를 시작하면서 생각한 저의 목표는 지금도 변함이 없습니다. 그것은 바로 은행이자보다 높은 수익률입니다. '경매를 하지 않았더라면 조금이라도 이자 더 주는 곳을 알아보며 예금을 했을 테니 그거면 족하다'고 생각하며 마음 편히 하자고 다짐했습니다. '어차피 장거리 레이스니 배워서 꾸준히만 하면 안 하는 것보다는 낫지 않을까?'라며 천천히, 익숙해질 때까지 하기로 했습니다.

저는 스트레스를 많이 받는 성향이라, 시작할 때 마음속으로 정한 원칙이 '쉽게 하자'였습니다. 그러지 않으면 조금 하다가 지레 포기할 성격임을 잘 알고 있어서요. 어려운 권리분석을 요하는 물건은 고수들에게 양보의 미덕(?)을 발휘하고, 무서운 점유자가 있는 물건은 아예 쳐다보지도 않고…….

그렇게 이것저것 빼고 나니 제가 도전할 수 있는 건 아주 평범한 물건들뿐이었습니다. 그래서 전 항상 꽤 높은 경쟁률 속에서 낙찰을 받을 수밖에 없습니다. 누군가 이런 저를 보면 "그렇게 해서 수익이 생길까?"라고 반문할 수도 있겠지만, 제가 해보니 수익이 생기더군요. 큰돈 못 벌면 또 어떤가요? 적은 돈이라도 버는 게 아예 안 버는 것보단 훨씬 낫지 않은가요?

처음으로 낙찰의 기쁨을 맛보게 해준 아파트

안양 3계
2013 타경 5344 **아파트**

소 재 지	경기 군포시 금정동 875 퇴계(주공) 358동 6층 605호 (15864) 경기 군포시 광정로 25-20				
경매구분	임의경매	채 권 자	어O		
용 도	아파트	채무/소유자	권OO	매각기일	13.11.12 (141,389,000원)
감 정 가	**145,000,000** (13.04.24)	청 구 액	50,900,000	종국결과	14.01.20 배당종결
최 저 가	**116,000,000** (80%)	토지면적	27.2 ㎡ (8.2평)	경매개시일	13.04.19
입찰보증금	10% (11,600,000)	건물면적	42.8 ㎡ (12.9평) [19평형]	배당종기일	13.07.01

조 회 수	·금일조회 **1** (0) ·금회차공고후조회 **163** (7) ·누적조회 **272** (74)	( )는 5분이상 열람 조회통계
	·7일내 3일이상 열람자 **16** ·14일내 6일이상 열람자 **10**	(기준일-2013.11.12 / 전국연회원전용)

경매 초보, 수차례 패찰의 아픔을 이겨내다

경매투자를 하기로 마음먹고 나서 저는 매일매일 물건을 찾고 임장을 했습니다. 처음인지라 타깃은 소액으로 할 수 있는 역세권 소형 아파트로 정했습니다. 처음 시작할 당시는 매매로 산다는 생각을 전혀 못 할 때라 '무조건 열심히 입찰해야 한다'고 여겨 입찰과 패찰을 수없이 반복했습니다. 그렇게 무수히 많은 패찰로 점점 지쳐갈 때쯤, 경기도 군포시 산본역 인근의 소형 아파트가 경매로 나왔습니다. 그때까지만 해도 저는 군포에 가본 적이 없었습니다. 보통 경매 관련 책에서는 본인이 사는 곳이나 잘 아는 곳부터 투자하라고 하지만, 아무래도 서울은 초보가 접근하기엔 부담스러운 것이 사실입니다. 실력도 없는데 잘못되기라도 하면 큰일이기에 지하철로 서울 접근성이 좋은 수도권 소형이 제게는 적당하다고 판단해 바로 현장으로 달려갔습니다.

저는 특별한 사정이 없는 한 지하철로 임장을 나갑니다. 그래야 더 많은 것을 볼 수 있기 때문입니다. 특히 처음 가보는 곳은 아주 많이 걷는 편입니다. 단지 안에 들어가서 걸어보고, 주변 상권도 살펴봅니다. 한 번 가서는 알 수 없으니 부족하면 또 갑니다.

초보인 데다 아이가 집에 오기 전까지만 임장을 다녀올 수 있어서 늘 시간이 부족합니다. 그 대신 남들보다 한 번 더 가면 된다는 생각으로 입지는 괜찮은지, 임대가 잘 나갈지, 단지 주민들은 어떤지를 걸으면서 파악했습니다. 또 서울에서 얼마나 걸리는지, 지하철로 출퇴근이 쉬운지 등도 확인해야 하니 체크할 게 꽤 많습니다.

산본역에 내리니 도보로 5분가량 걸리는 곳에 있는 아파트였고, 인근에 상권도 잘 갖춰져 있어서 신혼부부가 살기에는 제격이었습니다. 이제 집을 볼 차례입니다. 미리 인터넷을 통해 부동산 중개업소에 매매로 나온 집들을 확인했습니다. 경매 조사차 중개업소에 가면 보통은

싫어하고 귀찮아하는 분들이 많지만 초보인 저로서는 어쩔 수 없었습니다. 직접 집을 보고 구조, 방향, 선호도가 높은 동 등의 정보를 알아야 하니 죄송하지만 매매하러 온 손님인 척하고 집을 볼 수밖에 없었습니다. 그 대신 낙찰 받으면 사실대로 이야기하고, 많은 도움을 받았다며 전세 매물을 해당 중개업소에 내놓는 것으로 보답합니다.

중개사가 계약서까지 보여주면서 전국에 있는 투자자들이 많이 몰려와서 최근 계약을 했고, GTX 호재도 있다고 이야기하더군요. 그리고 당시는 수도권 주택시장 상황이 최악이었던 탓에 1주택자가 물건을 사면 5년 동안 양도세가 면제였습니다. 중개사가 양도 차익이 있겠냐며 쓸데없는 정책이라고 했을 정도로 부동산 시장이 침체기라 양도 차익은 꿈도 못 꿀 때였죠. 결국 GTX는 현재까지도 예비타당성 조사조차 못 하고 있는 상황이지만, 5년간 양도세 면제였던 물건들은 이후 수도권 부동산 가격 폭등으로 효자 물건이 되었습니다.

1억 4,000만 원을 넘긴 유일한 사람

임장 시에는 최대한 많은 것을 보고, 듣고 온 후 집에 와서 제 나름대로 판단을 내려 입찰 여부를 결정합니다. 결국 입찰하기로 했고, 입찰 당일에는 사정상 제가 갈 수 없어서 친구에게 대리입찰을 부탁했습니다.

입찰 당일 아침까지 다시 한 번 시세와 관리비 미납액을 확인하고,

놓친 것은 없는지 꼼꼼하게 체크한 다음 친구에게 입찰가를 알려줬습니다. 두근두근하며 기다리는데 점심때쯤 친구에게 전화가 와서 낙찰 소식을 알려줬습니다. 1억 4,000만 원을 넘긴 사람은 너뿐이라는 친절한 설명과 함께……. 임장 당시 시세가 1억 4,500만~1억 5,000만 원 정도였고, 2등과는 230만 원 차이였습니다. 최근 낙찰가와 시중에 나온 매물가격 등을 종합해서 산정한 가격이라 후회는 전혀 없었습니다.

하지만 수많은 패찰 후 그렇게 기다리던 첫 낙찰인데도 기쁘기는커녕 명도 걱정에 웃을 수가 없었습니다. 당시에 낙찰가의 80퍼센트까지 경락잔금 대출이 나왔는데, 저는 이때만 해도 대출을 몹시 무서워할 정도로 초보 중의 초보이자 실수투성이였습니다.

그래도 대출 이자와 중도상환 수수료, 법무비라도 아껴볼 요량으로 소유권 이전도 직접 했습니다. 마침 살던 집을 옮기면서 잠깐 융통할 수 있는 자금이 있었거든요. 낙찰 후 소유권 이전은 촉탁등기라고 해서 법무사가 아니어도 비교적 간단하게 할 수 있습니다. 물론 그 당시에는 할 줄 몰라서 쩔쩔맸습니다만…….

나만의 Tip

경매로 낙찰을 받으면 대출을 알아봐야 합니다. 입찰장에서 낙찰을 받고 나오면 대출 상품을 취급하는 많은 이들이 명함을 주고 전화번호를 물어봅니다. 이때 당황하거나 꺼려하지 말고 최대한 많은 이들에게 전화번호를 알려주는 것이 좋습니다. 그러면 그다음 날부터 문자가 마구 쏟아져 들어옵니다.

이렇게 연락을 보내온 사람 중 최대한 많은 이들에게 자신의 향후 계획과 원하는 조건을 설명하고 이를 맞춰줄 수 있는 곳을 찾습니다. 몇 군데로 압축이 되면 법무비 내역을 이메일로 보내달라고 요청하세요. 이 과정을 거치면 다시 몇 군데로 더 압축이 됩니다.

그다음은 법무비 협상입니다. 경락잔금 대출에 있어 통상 이야기하는 법무비는 순수하게 등기비용만을 말하는 것이 아니라 여러 이해관계가 얽혀서 산출되므로 그다지 저렴해 보이지 않을 수도 있습니다. 저는 2~3곳에서 견적서를 보내올 정도로 압축이 되면 그때 협상에 들어가는 편입니다. 이때 중요한 것은 무조건 깎아달라고만 하면 대출을 중개하는 사람들도 난감할 수밖에 없다는 점입니다. 그러니 하나는 양보하고, 하나는 취하는 전략으로 주도적이고 똑똑하게 협상에 임해야 합니다. 저는 낙찰 후 전세로 임대 놓고 바로 상환하는 방식을 취합니다. 그렇기 때문에 금리는 조금 높더라도 중도상환 수수료와 법무비가 저렴한 곳 중 일처리를 잘해줄 수 있는 곳으로 최종 결정합니다.

전에 읽은 책에서는 두 군데에 대출 신청을 해놓고 서로 경쟁시킨 뒤 상대방의 정보를 서로에게 노출시켜 수수료를 내리라고 했지만, 그리 추천할 방법은 못 됩니다. 요즘은 대출 중개인들끼리 정보를 공유하는 경우가 많아 잘못하면 오히려 소탐대실할 수 있기 때문입니다. 합리적인 가격이라면 경쟁을 시키기보다는 수용하는 편이 좋습니다.

걱정은 개나 줘버려라

소유자로 젊은 신혼부부가 살고 있었습니다. 제가 원하는 명도 시점보다 두 달가량 더 월세를 내고 살기를 원했습니다. 잠시 고민을 했지만 소유자가 배당금으로 가져갈 금액이 있어서 큰 문제가 안 될 것 같아 그러기로 하고 명도에 합의했습니다.

전 소유자가 이사 가기로 한 날 저는 너무 떨려서 긴장을 늦출 수가 없었습니다. 이럴 때 저는 정말이지 왕소심쟁입니다. 그동안 책에서 읽었던 수많은 드라마틱한 명도 이야기가 제 이야기가 되는 건 아닌지 가슴을 졸이며 산본으로 향했습니다.

하지만 역시 걱정, 고민은 개나 줘버려야 했습니다. 소유자의 동생이 와서 관리비 정산도 다 해놓고 기다리고 있었던 것입니다. 저는 약소하나마 적은 금액이 든 봉투를 건네고 잘살기를 바란다는 마음을 전했습니다. 그렇게 전 주인이 떠나간 휑한 집을 보니, 그동안 고생한 게 생각나서 뭔지 모를 찡함이 다가왔습니다. 그렇게 저는 첫 경매 낙찰이라는 추억을 하나 만들었습니다.

명도 후에는 깨끗이 청소하고 무난히 임대를 맞출 수 있었습니다. 낙찰을 받은 후 팔 수도 있었지만, 역세권 소형은 노년의 저에게 연금을 안겨다 줄 수도 있겠다는 생각에 지금도 계속 보유하고 있습니다. 추후에는 월세로 전환해서 노후에 고마운 연금이 되어주길 기대합니다.

수익률

낙찰가(부대비용 제외) : 141,389,000 vs. 시세(2018년 말) : 210,000,000

→ 상기 임대 수익률 또는 매매 · 보유로 인한 차익은 각 저자가 제시한 자료를 지지옥션이 재정리한 것으로 실제와는 다소 차이가 있을 수 있습니다.

2등임에도 낙찰의 행운을 안겨준 아파트

고양 1계

2014 타경 27483 **아파트**

소 재 지	경기 고양시 덕양구 행신동 787 , 785 소만마을 607동 13층 1308호 (10530) 경기 고양시 덕양구 소원로 157				
경매구분	임의경매	채 권 자	국OOO		
용 도	아파트	채무/소유자	곽OO	매 각 기 일	15.02.10 (176,600,000원)
감 정 가	**180,000,000** (14.09.17)	청 구 액	115,533,738	종 국 결 과	15.04.09 배당종결
최 저 가	**126,000,000** (70%)	토 지 면 적	27.6 ㎡ (8.3평)	경매개시일	14.08.28
입찰보증금	10% (12,600,000)	건 물 면 적	49.8 ㎡ (15.1평) [20평형]	배당종기일	14.11.24
조 회 수	· 금일조회 **1** (0) · 금회차공고후조회 **333** (53) · 누적조회 **518** (75) · 7일내 3일이상 열람자 **36** · 14일내 6일이상 열람자 **15**	( )는 5분이상 열람 조회통계 (기준일-2015.02.10 / 전국연회원전용)			

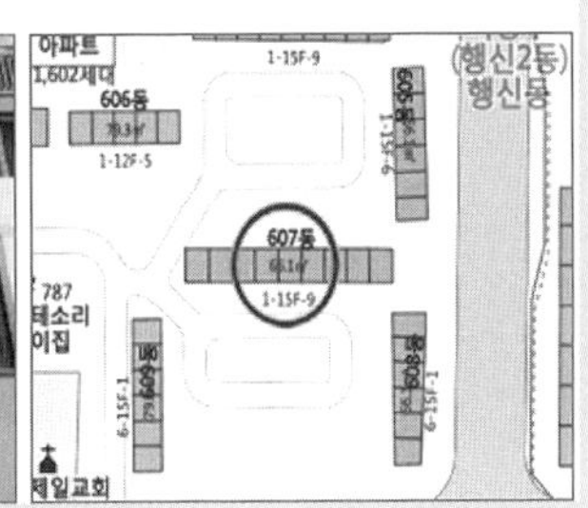

가방에 남겨진 수표 한 장

경기도 고양시 덕양구에 위치한 아파트로 경의중앙선 강매역과 행신역을 이용할 수 있는 곳이었습니다. 칼바람이 부는 1월에 임장을 가서 유난히 걸어 다니기가 힘들었던 기억이 납니다. 지하철역에 내려서 물건지까지 걸어가는데 잠깐 '집에 다시 갈까?'라는 생각이 들 정도였으니까요. 그러나 만약 되돌아갔다면 약 6,000만 원의 수익은 존재하지 않았을 겁니다.

이 아파트는 남향의 로열층 물건인 데다 앞이 트여 있어서 뒷동보다 덜 답답해 실거주자들에게 선호도가 높으리란 걸 알 수 있었습니다. 초 · 중 · 고등학교와 지하철역이 가깝습니다. 무엇보다 서울로 출퇴근하는 신혼부부가 많고 광역버스 노선이 있다면 전세 수요가 매우 높은데, 이곳은 버스 정류장도 가까워 더욱 마음에 들었습니다. 중개업소에 매물로 나온 물건들을 꼼꼼히 확인해보고 나서 저는 입찰을 결정했습니다.

입찰 전날 금액을 잘못 산정하지는 않았는지 걱정이 들었습니다. 입찰 당일 은행에서 수표 한 장으로 입찰 보증금을 준비한 뒤 입찰 서류를 제출하고 개찰을 기다렸습니다. 개찰 결과 저는 2등이었습니다. 아쉬울 법도 한데 저는 아직도 초보라 낙찰이 안 되면 오히려 안도감으로 마음이 편해집니다. '휴~ 명도 안 해도 된다'라는 생각과 함께 말이지요.

반은 아쉽고 반은 홀가분한 마음으로 보증금을 돌려받으려고 기다리고 있는데, 순간 웅성웅성하는 분위기가 감지되었습니다. 법정에 모인 사람들이 낙찰자의 입찰 보증금이 부족하다고 수군대기 시작한 것입니다.

이윽고 집행관이 최고가를 적은 이에게 가방 안을 찾아보라고 하자 그 사람은 혼비백산한 표정으로 가방 안을 뒤지기 시작했습니다. 가방 안에는 입찰 봉투에 넣지 않은 수표 한 장이 남아 있었고, 결국 그는 입찰 보증금 부족으로 무효 처리되어 2등인 제가 뜻하지 않게 낙찰을 받았습니다. 최고가 매수인 확인을 받고 나니 법원 직원이 아주 조용한 목소리로 "운 진짜 좋으시네요" 하더군요.

날아갈 듯한 기분에 법원을 나오자마자 남편에게 전화를 걸어 법원에서 있었던 드라마 같은 일을 들려줬습니다. 남편은 부동산 경매에 대해 전혀 모르지만 늘 인내심을 가지고 제 이야기를 다 들어준답니다. 그럼 저는 신이 나서 떠들고요.

아파트는 늘 입찰자가 많습니다. 특히 소형 평형은 30명이 넘을 때도 종종 있습니다. 이런 이유로 싸게 낙찰 받기가 어렵고, 그러다 보니 아파트를 낙찰 받고 나면 으레 "저 가격이면 급매가 아냐? 뭐 하러 힘들게 경매로 사?"라는 소리를 듣게 마련입니다.

이런 말을 들으면 초보자의 멘털은 마구 흔들릴 수밖에 없습니다. 하지만 자신의 판단을 믿고 흔들려서는 안 됩니다. 급매가격 아니냐고 비아냥거린 사람들 중에 지금 당장 달려가서 급매로 살 사람이 과연 몇이나 될까요? 아무도 없을 겁니다. 급매보다 조금이라도 싸게 살 수 있다면 만족해야 합니다.

간절함은 통한다

이제 다음 할 일은 명도입니다. 소유주가 있는 물건이라 일단 만나서 그간 있었던 힘든 일 들어주고 이사 날짜를 잡으려고 했지만 소유자는 계속 피하기만 하고 아무 반응이 없었습니다. 명도에서 가장 힘든 케이스가 무반응이라더니…….

그래서 저는 다시 책을 집어 들고 명도 부분을 읽고 또 읽었습니다. 우선 강제집행 신청을 한 뒤 계속 대화 시도를 이어나갔지만 여전히 반응은 없었습니다. 차라리 이사비를 달라고 하면 좋겠다는 생각이 들 정도였습니다.

강제집행 신청에 따라 법원에서 이를 안내하는 계고장이 송달됐고, 집행관에게 혹시나 점유자를 만나면 전화를 달라고 미리 부탁을 해놨습니다. 하지만 집행관도 "점유자가 집에 있는데 아무 반응을 안 해요. 아무래도 강제집행 준비를 하셔야 될 것 같네요"라고 하는 바람에 낙담할 수밖에 없었습니다. 경매하면서 정말로 강제집행만은 피하고 싶었기 때문입니다.

주변에 조언을 구한 결과 어떤 사람은 무조건 강제집행을 해라, 다른 사람은 강제집행은 하는 사람이 더 힘드니 하지 않는 게 낫다며 상반된 의견을 내놔 초보인 저는 혼란스러웠습니다. 어떻게 해야 할지 결정을 못 내리고 있던 그때, 누군가가 "그럼 마지막이라고 생각하고 집행 전에 한 번만 더 찾아가보세요"라고 말해주더군요.

정말 간절함이 통했던 것일까요? 마지막이라 생각하고 찾아갔는데 소유자가 그간 힘들었던 상황을 털어놓고 이사에도 합의해줬습니다. 이어 관리비 미납 문제도 원만하게 해결돼서 이사 가는 날 다시 한 번 얼굴을 보기도 했습니다.

이제는 수리도 혼자서 척척

이사 후 집 상태가 좋지 않아 도배를 하고 장판도 새로 깔고 화장실 등을 수리했습니다. 저는 수리할 때 인근 중개업소에 그 지역민들이 선호하는 인테리어 스타일을 물어본 후에 진행하는 편입니다. 그래야 임대나 매매가 수월하기 때문입니다.

이 물건은 두 개의 방 중 하나를 미닫이로 거실 겸 방으로 쓰는 구조였는데, 이 지역에선 미닫이 형식의 거실 구조를 선호하지 않는다고 해서 미닫이를 철거하고 거실을 넓게 쓸 수 있도록 구조를 바꿨습니다. 도배와 장판 용품은 방산시장에 가서 구매했고, 화장실은 UBR(Unit Bath Room) 구조라서 수리비가 일반 화장실보다 조금 더 들었습니다.

임대용 소형 아파트 수리는 많은 비용을 쓸 수 없는 만큼 같은 값이면 좀 더 예쁘고 효율적인 수리 방식을 택해야 합니다. 화장실의 경우 바닥 물청소가 쉽고, 깔끔하면서도 예뻐 보이는 디자인을 고르는 것이 좋습니다. 특히 화장실은 가급적이면 해당 지역 업체를 이용하는 것이 유리합니다. 그 아파트의 특징을 잘 알고 있을 뿐만 아니라, 만약 누수나 다른 하자가 발생했을 경우 대처가 빠르기 때문입니다. 조명이나 현관 도어록 등은 인터넷에 자세하게 설명이 나오니 혼자서도 충분히 할 수 있습니다.

저에게 경매 인생 처음으로 행운을 안겨준 이 물건은 2년 후 2억 4,400만 원에 매도했습니다. 그즈음 서울 중대형 아파트가 저렴하다는 판단이 들어 이에 도전하기 위해서였습니다. 1,000만 원의 실투자금이 들어갔던 이 물건은 약 6,000만 원의 수익을 안겨주고, 서울의 중대형 아파트로 재투자되었습니다.

나만의 Tip

낙찰 후 수리를 할 때는 그 동네 중개업소에 지역주민들이 선호하는 인테리어 스타일을 물어보고 진행해야만 임대, 매매가 수월합니다.

수익률

낙찰가(부대비용 제외) : 175,870,000 vs. 매도가 : 244,000,000

여름 휴가지에서 아파트 잔금을 치르다

북부 8계

2016 타경 103477 **아파트**

소 재 지	서울 성북구 길음동 1280 길음뉴타운 220동 9층 901호 (02714) 서울 성북구 길음로 119				
경매구분	임의경매	채 권 자	중OOOOO		
용 도	아파트	채무/소유자	토OOO/박OO	매각기일	17.07.24 (534,190,000원)
감 정 가	**550,000,000** (16.06.26)	청 구 액	147,918,000	종국결과	17.09.29 배당종결
최 저 가	**440,000,000** (80%)	토지면적	53.8 m² (16.3평)	경매개시일	16.06.20
입찰보증금	10% (44,000,000)	건물면적	114.7 m² (34.7평) [41평형]	배당종기일	16.08.31
조 회 수	· 금일조회 **1** (0) · 금회차공고후조회 **167** (57) · 누적조회 **720** (102) ( )는 5분이상 열람 조회통계 · 7일내 3일이상 열람자 **20** · 14일내 6일이상 열람자 **5** (기준일-2017.07.24 / 전국연회원전용)				

대출 규제로 혼비백산

사실 이 물건은 100퍼센트 마음에 들지는 않았습니다. 그럼에도 입찰을 결정한 이유는 '싸다'였습니다. 이 시기 서울 아파트 시장은 25~32평형의 경우 가격이 상승한 반면, 중대형은 상승 폭이 미미했습니다. 경매보다는 일반 매매로 사는 것이 아직 상승 폭이 잠잠한 서울

중대형 아파트를 똑똑하게 사는 길이라고 생각해 6억을 초과하지 않는 40평형대 아파트 여러 곳을 조사하기 시작했습니다.

조사를 진행하다 보니 서울의 구축 아파트 40평형대 전세는 학군이 첫 번째 고려사항이고, 학군이 좋아야만 전세가도 비교적 높게 형성된다는 것을 알게 되었습니다. 강남이 아니어도 그 지역에서 알아주는 학군이 있고, 6억이 넘지 않는 곳으로 점차 좁혀가던 중 매매가 아닌 이 경매물건을 보게 되었습니다.

익히 알고 있던 동네인지라 입찰을 쉽게 결정할 수 있었습니다. 주민들이 선호하는 길음중학교 인근에 위치하고, 40평형대에 6억 미만의 가격인 데다 전세가는 매매가의 80퍼센트 이상이었습니다. 주변에 신규 아파트 입주 물량이 많이 예정되어 있지만, 40평형대 이상은 많지 않아서 걱정할 수준은 아니었습니다. 단점은 지하철에서 내려 마을버스를 타야 하고 단지가 오르막이라는 점. 만약 경매에서 떨어지면 매매로 구입하기로 마음먹고 일단 입찰에 나섰습니다.

입찰 당일 북부지방법원은 많은 사람으로 발 디딜 틈이 없었습니다. 저는 어지간하면 입찰 현장에서 응찰 가격을 고치지 않는데, 사람이 너무 많다 보니 떨어질까 두려워 300만 원을 더 적었습니다. 원래대로 적었다면 5만 6,400원의 근소한 차이로 낙찰 받을 수 있었는데……. 역시나 입찰 현장의 분위기에 휩쓸려 입찰표를 고치지 말라는 경매 격언을 되새기게 해준 계기였습니다.

낙찰 후 경락잔금 대출을 알아보던 중 8.2대책이 나왔습니다. 규제가 발표됐지만 이미 낙찰 받은 부동산은 영향이 없을 것으로 판단해 저와는 무관한 것으로 여겼습니다. 하지만 연락을 취한 대출상담사에게서 대출이 안 나올 수도 있다는 말을 듣고는 급하게 서류를 준비하느라 혼비백산했던 기억이 납니다. 때마침 가족여행이 잡혀 있던 터라 잔금을 치르는 게 문제였는데, 그동안 친분을 쌓아온 대출상담사의 도움으로 여행지에서 무사히 잔금도 치렀습니다.

알고 계신가요? '초중고 학구도' 안내 서비스

초·중·고등학교와 학군, 학원 등 교육 인프라는 가을~겨울철 이사 수요를 견인할 만큼 우리나라 부동산 시장에서 무시할 수 없는 비중을 차지합니다. 지지옥션은 이러한 우리나라 부동산 및 경매시장의 특성을 반영해 한국교육개발원이 제공하는 '학구(통학구역)도 안내서비스'를 지지옥션 상세페이지에서 바로 볼 수 있도록 하고 있습니다.

관심 있는 경매물건의 상세페이지를 보다가 주변 학교 등이 궁금하다면 오른쪽 날개에 있는 '초중고 학구도' 메뉴만 클릭하세요. 따로 교육개발원의 해당 사이트에 접속할 필요 없이 바로 내용을 확인할 수 있습니다.

반가웠던 이사비 요구

낙찰 후 소유자를 만나기 위해 몇 번을 찾아가도 부재중이어서 현관문에 제 연락처만 남기고 올 수밖에 없었습니다. 그래도 연락이 없자 법원에 가서 서류 열람도 해봤지만 여전히 오리무중이었습니다. 평일 낮에는 늘 부재중이었고, 저는 주부인지라 밤에는 갈 수 없으니 속만 타 들어갔습니다.

어떻게 할까 고민하던 어느 토요일, 가족과 인근에서 식사를 하고 돌아오는 길에 혹시 모르니 한번 들러나 보자는 생각에 갔는데 역시나 부재중이었습니다. 아이는 아빠랑 놀이터에서 야구하고, 저는 물건 앞에서 서성이는데 한 남자 대학생이 현관으로 들어가더군요. 혹시나 하는 생각에 엘리베이터를 따라 탔더니 제가 가려는 층의 버튼을 누르는 게 아니겠어요? 알고 보니 소유주의 아들이었습니다.

아들을 통해 소유주에게 연락을 했더니 그간 지방에 내려가 있어서 연락을 못 했다며 대뜸 이사비 얘기를 꺼내더군요. 이전 물건의 소유자가 무반응으로 일관해 명도가 힘들었던 터라 오히려 이사비 얘기가 반갑게 느껴졌습니다. 수차례 협의 끝에 명도를 마무리 지었고, 명도 후 둘러본 집은 제가 이사 오고 싶을 정도로 넓고 마음에도 쏙 들었습니다. 작은방의 한쪽 벽지가 상한 것을 제외하면 수리가 전혀 필요 없을 정도로 내부 상태는 깨끗했습니다. 아니나 다를까, 인근 중개업소에 전세를 내놓자마자 바로 다음 날 오전에 계약이 성사되었습니다.

전세로 들어오는 이들은 단지 인근의 학부모였는데, 학교와 가까운 곳으로 옮기고 싶어 하는 이들이었습니다. 공실 상태인 데다 이사 날짜도 자유롭다는 점에 반해 전세가가 조금 비싼데도 이 집을 선택했다고 하더군요.

제가 임대사업자 등록을 한 탓에 당분간 이 물건은 매도가 불가능합니다. 하지만 2016년 낙찰 후 시세가 급등했습니다. 그 시기에 다른 아파트 40평형대를 일반 매매로 취득했다 해도 결과는 비슷했을 것입니다. 그럼에도 굳이 일반 매매에 앞서 경매를 시도하는 이유는 조금이라도 싸게 살 수 있어서입니다. 조금이라도 싸게 사면 묶이는 투자금을 줄일 수 있고, 팔 때도 깎아줄 수 있는 폭이 넓어져 매도가 쉬워지니 그만큼 안전합니다. 이래도 경매가 무섭고 어렵다면 급매물을 찾아서 투자하는 방법을 권합니다.

수익률

낙찰가(부대비용 제외) : 534,190,000 vs. 시세(2018년 말) : 800,000,000

3년 만에 2억 이상의 수익을 안겨준 급매 아파트

한동안 경매에 집중하다가 공인중개사 공부를 시작했습니다. 그리 긴 시간은 아니었지만 공부하는 동안 힘들었던 점은 임장을 갈 수 없다는 것, 그리고 수도권 부동산이 막 상승하던 때라 계속 조바심이 났다는 것입니다. 공인중개사 시험이 끝나자마자 물 만난 고기처럼 서울 이곳 저곳을 다녔습니다. 경매로 나온 물건들을 조사하러 다니다 보면 드물게나마 급매물건을 만나는 행운도 누립니다.

어느 날 동작구 상도동 한 아파트 단지의 여러 매물을 살피던 중 한 중개업소 사장으로부터 이 급매물건을 소개받았습니다. 이 지역은 평소에 제가 잘 아는 곳이라 시세는 어느 정도 파악하고 있었습니다. 2층이긴 하지만 앞에 나무가 보여서 숲속 느낌도 났고, 내부는 확장도 되어 있었습니다. 깔끔하게 수리된 모습도 마음에 들었지만 무엇보다 급매라 가격이 저렴하다는 점이 저를 사로잡았습니다.

저는 어떤 물건이든 매수할 때 장기보유 계획을 세우고 접근합니다. 혹시 발생할지 모를 여러 위험요소에 대한 대처방법까지 나와야 매수에 나설 만큼 저는 여전히 소심한 초보입니다. 이 물건은 만약 시세가 떨어지더라도 바로 옆에 대학교가 있어서 월세 수요는 충분할 듯했습니다. 정 안 되면 제가 들어와 산다는 생각으로 매매를 결정했습니다.

3,200만 원짜리 적금

다행히 이 시기는 아파트 보유자들이 2008년도에 큰 가격 하락을 겪은 뒤 회복 중인 때여서 빨리 팔고 싶어 하는 욕구가 컸습니다. 그만큼 가격 조정도 가능했습니다. 소개해준 중개사에게 소유자가 급매로 처분하는 이유를 물어보니, 아이 입학 문제 때문에 바로 옆 단지로 평수를 넓혀서 간다고 하더군요.

이런 경우 새 학기가 시작되기 전인 2월 말까지는 무조건 주소 이전을 해야 하므로 가격 조정이 가능하겠다는 생각이 들었습니다. 이에 저는 과감하게 급매로 나온 가격을 조금 더 조정해줄 것을 요구했고, 저의 예상대로 조정된 가격에 계약을 무사히 마쳤습니다.

실투자금으로 3,200만 원(세금 등 제외)이 들어간 이 물건은 계약이 끝나자마자 바로 신혼부부에게 전세를 놓았고, 취득 후 3년 만에 5억 8,000만 원에 매도했습니다.

3,200만 원(세금 제외) 투자로 2억이 넘는 수익을 안겨준 이 아파트 덕분에 꼭 경매가 아니더라도 급매 역시 훌륭한 투자가 될 수 있다는 걸 배웠습니다. 3,200만 원짜리 적금에 가입했다고 생각하며 뿌린 씨앗이 커다란 열매로 되돌아온 셈입니다.

나만의 Tip

급매로 똘똘하게 사는 저의 노하우입니다.

- 중개업소와 집을 볼 때는 반드시 산다는 생각을 가지고 꼼꼼히 본다.
- 중개업소를 통해 매도자의 현 상황을 정확하게 파악한다.
- 등기부등본을 뚫어져라 들여다보면 중개업소에서 듣지 못한 매도자의 현재 상황이 보인다.
- 자신 있게 자신이 깎고 싶은 금액의 두 배를 불러라. 그러면 자신이 생각한 금액보다 더 깎을 수 있다(예를 들어 500만 원을 깎고 싶다면 1,000만 원을 불러라. 나는 실제로 800만 원이 깎여서 왔다). 단, 이렇게 깎아놨는데 정작 사지 않는다면 중개사의 신뢰를 잃는다. 금액과 상관없이 반드시 매수할 물건만 가격 조정에 나서라.
- 중개수수료는 깎지 않는 것이 좋다. 그래야 매수 완료 후 임대를 놓거나 매도할 때 여러모로 도움을 받을 수 있다.
- 셀프등기를 배워서 법무비를 아껴라.

수익률

매수가 : 362,000,000 vs. 매도가 : 580,000,000

고민 끝에 당첨된 아파트 청약

저는 경매로 부동산 투자를 시작했지만 하다 보니 어떤 때는 일반 매매가, 또 어떤 때는 청약이 더 괜찮은 투자방법이기도 합니다. 지금은 정책이 바뀌어서 다주택자가 아파트 청약을 할 수 없지만, 2016년 11.3대책이 나오기 전에는 다주택자도 청약이 가능했습니다.

저는 새 아파트에 살아본 경험이 없어서 새 아파트가 얼마나 좋은지 잘 모릅니다. 비싸기만 한 사치품이라는 고정관념도 있었습니다. 하지만 2016년도부터 신규 아파트 분양이 여러 곳에서 진행이 되자 처음으로 모델하우스에 다녀보기 시작했습니다. 그곳에서 첨단기술이 접목된 아파트를 보니 앞으로는 구축이 아닌 신축 아파트가 대세가 되겠구나라는 생각을 점점 굳히게 되었습니다.

그러던 중 괜찮아 보이는 곳에 청약을 하기로 결정했습니다. 당연한 이야기지만 처음에는 가장 좋은 평면인 남향, 소형 아파트만 고집했습니다. 하지만 이런 곳은 경쟁률이 너무 높아 도무지 당첨이 되질 않았습니다. 일단 당첨이라도 돼야 하는데 마냥 기다릴 수밖에 없으니 애가 탈 노릇이었습니다.

답답한 마음에 이미 분양이 끝난 곳을 조사하다 보니 프리미엄은 로열동, 로열층만이 아니라 저층, 동향, 타워형에도 붙는다는 걸 알게 됐습니다. 그렇다면 경쟁률이 약한 평면에 도전해보자는 생각으로 현장 이곳저곳을 다니다가 신길 뉴타운 아이파크 분양공고를 보게 되었습니다.

지도를 통해 사전조사를 충분히 한 뒤 신길 뉴타운 현장에 가서 주변을 살피며 걸었습니다. 그곳은 이미 입주를 한 상태로 곳곳에 붉은색 페인트가 칠해지고 있을 정도로 어수선했습니다. 낯선 동네다 보니 계속 걷고, 지도를 보면서 몇 번을 고민했습니다.

지금 서울 아파트 청약은 '묻지마 투자'도 속출하지만 당시는 그렇지 않았습니다. 가장 큰 걸림돌은 대림동이 가깝다 보니 중국 동포들이 주변에 많이 살아 환경이 좋지 않다는 의견이 많았다는 점입니다. 그래서 가보고 또 가봤습니다.

11.3대책 발표 하루 전에 당첨

당시 신길동은 빌라와 구옥들이 모여 있고, 중국 동포가 많이 들어와서 살고 있기는 했습니다. 하지만 1~2동짜리 아파트도 아니고 1만 세대가 넘는 아파트가 들어서서 뉴타운이 조성되면 이는 큰 문제가 안 될 거라 마음을 다잡고 청약을 결심했습니다. 가장 인기가 좋은 평면은 제외하고 선호도가 약간 떨어지는 타워형으로 청약했습니다. 아파트 청약은 운도 따라야 하지만 당첨을 위한 꼼꼼한 전략도 어느 정도 필요함을 알게 됐습니다.

제가 청약한 C타입은 아래 표에서 보듯이 선호도가 떨어져 경쟁률도 낮았습니다.

타입	25A형	25B형	25C형
경쟁률	151:1	28.6:1	16.1:1

운 좋게도 11.3대책이 나오기 바로 전날 당첨 문자를 받았습니다. 이 물건은 청약할 때부터 매도할 생각이 없어서 장기임대로 등록했고, 어차피 팔 수도 없으니 시세에도 관심이 없습니다. 서울 소형 신축 아파트는 장기로 가져가도 훌륭한 수익형 부동산이 될 것 같습니다. 전세로 돈을 모은 뒤 추후에는 월세로 전환해서 노후에 연금을 주는 똘똘한 효자로 가져갈 생각입니다.

고생한 남편에게 한 달 살기 여행 선물을

저는 부자가 되고 싶습니다. 제 동생도, 소중한 제 친구도 부자였으면 좋겠습니다. 그러면 동생의 친구도, 친구의 동생도 모두 부자가 되지 않을까요? 로또와 같은 일확천금의 행운은 애당초 제 몫이 아님을 잘 알고 있습니다. 그래서 제가 할 수 있는 일은 꾸준히 한 걸음 한 걸음 나아가는 것뿐입니다. 시작은 경매로 했지만 점차 숲이 보이면서 경매 외에 다양한 투자에도 도전하게 됐고, 그로 인해 수익을 만들 수 있는 기회도 더욱 다양해졌습니다.

하지만 저는 아직도 많이 부족합니다. 낙찰 받은 건수는 고수들에 비하면 그저 부끄러운 수준이고, 현재의 수익은 지극히 운이 좋았던 결과라는 것을 알고 있습니다. 그래서 꾸준히 경매를 하는 부동산 투자자로서 임차인들에게 가장 좋은 주택을 제공하는 임대사업자가 되고 싶습니다.

저는 드라마틱한 경매투자 기법이나 기가 막힌 수익을 만들어내는 방법은 모르지만, 그 대신 포기하지 않고 꾸준히 하는 것만큼은 누구보다 자신 있습니다. 그게 저의 장점이라 생각하고, 소소한 수익에도 감사할 줄 아는 즐겁고 성실하게 경매에 임하는 투자자가 되고 싶습니다.

지금까지는 아파트에만 투자했습니다. 이유는 간단합니다. 가장 쉬우니까요. 시세 파악하기도, 관리하기도 쉬운 게 아파트입니다. 이렇게 쉬운 것만 해도 수익이 납니다. 그런데 투자에 들인 시간과 경험이 쌓이다 보니 이제는 새로운 것도 배우고 싶어졌습니다. 단독주택을 개조

해서 카페로 만들거나 다가구주택을 매입한 뒤 리모델링을 거쳐 가치를 높이는 일에도 관심이 많습니다.

또 아파트 외 다른 부동산에도 다양하게 투자를 해보고 싶습니다. 주거용인 빌라에 이어 상가, 토지 등등 부동산은 공부할 것이 정말 많아 앞으로도 심심하지는 않을 듯합니다. 이런 식으로 남편이 은퇴하기 전까지 부동산, 경매를 통한 재테크로 소소한 수익을 지속적으로 내면서 차츰 여러 파이프라인을 보유하고 싶습니다. 훗날 은퇴하면 평생 직장 다니느라 고생한 남편과 그동안 여행한 곳들 중 다시 가고 싶은 곳에 가서 한 달 살기 여행을 하며 살고 싶다는 게 작은 소망입니다.

만약 경매를 하지 않았다면...

시작은 경매로 했지만 해가 지나고 경험이 쌓일수록 신기하게도 세상에는 투자할 것들, 배울 것들이 정말 많다는 걸 알게 됩니다. 경매를 시작하고 처음 얼마간은 주변에 적극 권하기도 하고 추천도 했지만 이제는 그러지 않습니다. 어차피 안 할 거라는 걸 알기 때문입니다. 돌아오는 말들은 애써 순화시킨 걱정과 선입관뿐이었습니다. 그들 중 부동산이나 경매를 잘 알거나 잘하는 사람이 있나 생각해보니 단 한 명도 없었습니다. 그렇다면 안 해본 그들보다는 해본 제가 맞다고 생각합니다.

어느 날은 '만약 내가 경매를 시작하지 않았다면 뭘 하고 있었을까? 지금보다 형편은 더 나아졌을까? 지금보다 넉넉한 상태로 이곳저곳

가족여행을 다닐 수 있었을까?'라는 생각을 해봤습니다. 물론 다른 선택을 했더라면 어땠을지 장담할 순 없지만요.

하지만 적어도 지금보다 열심히 그리고 적극적으로 세상을 바라보지는 않았을 거라는 점은 확실합니다. 소심하고 겁 많던 제가 긍정적으로 바뀌었다는 것 하나만으로도 결론은 '역시 괜찮은 선택이었다'라는 생각이 듭니다.

저는 미래의 행복을 위해 현재를 희생하고 싶지는 않습니다. 아이가 저를 필요로 하는 순간을 함께 보내며 더 많은 시간과 추억을 쌓고 싶고, 그 중간중간은 부동산 경매 재테크로 채워서 노후 준비를 해두고 싶습니다. 앞으로도 느리지만 현재가 소중함을 알고 미래를 준비하는 제가 되고 싶습니다.

경매는 꼭 수익을 내기 위해서라기보다 자본주의 사회에서 자신의 자산을 안전하게 지키기 위해서라도 반드시 알아야 하는 일종의 '전공필수' 과목입니다. 몰라서 자기 자산을 지키지 못하는 일은 없어야 하지 않을까요?

살면서 부동산 계약서는 누구든지 한 번은 쓰게 됩니다. 이때 소중한 자산을 지키기 위해서는 반드시 해야 할 공부이고, 배워두면 훌륭한 파이프라인이 될 수 있습니다. 누구든 할 수 있고, 정년도 없고, 적은 금액으로도 시작할 수 있다는 게 경매의 장점이니, 관심이 있다면 망설이지 말고 지금 바로 시작해보는 게 어떨까요?

별별 실패사례 1

대항력 있는 임차인의 적법한 배당요구 철회

사건개요

- 사건번호 : 2015타경 13245(창원 5계)
- 감정가 : 1억 2,000만 원
- 키워드 : 대항력 있는 임차인, 배당요구종기일, 배당요구 철회

이슈

경매 절차에서 배당신청을 하지 않아도 당연히 배당받는 채권자도 있지만, 임차인은 반드시 배당요구종기일까지 권리신고 겸 배당요구신청을 해야만 배당받을 수 있습니다. 이 사건 임차인도 2015년 11월 9일(배당요구종기일 2016년 1월 8일) 권리신고 겸 배당신청을 했기 때문에 당연히 배당받을 것으로 알고, 2회 유찰된 후 2016년 8월 10일 단독 입찰해 매각가율 80.9퍼센트에 낙찰 받았습니다.

그러나 낙찰 받은 기쁨은 잠시뿐이었습니다. 단독 입찰한 것이 이상해 확인해본 바, 임차인이 2015년 12월 30일자로 배당요구신청을 철회한 것입니다. 임차인은 배당요구신청을 철회할 수 있습니다. 배당요구종기일 이후에 하면 효력이 없지만, 종기일 이전에 하면 적법하기 때문에 해당 보증금을 매수인(낙찰자)이 인수해야 합니다.

이 사건 낙찰자도 임차인의 보증금 7,000만 원을 인수해야 한다는 부담 때문에 대금을 납부하지 못하고 결국 입찰 보증금 768만 원을 포기했습니다. 그 뒤로 4회 더 유찰된 후 매각가율 29퍼센트에 매각되어 종결됐습니다.

시사점

권리분석을 할 때, 대항력 있는 임차인이 배당요구신청을 했는지 확인하는 것도 중요하지만 그 시기가 배당요구종기일 이전인지 확인해야 합니다. 그리고 철회하지 않았는지 반드시 확인하는 것도 매우 중요합니다.

강제경매를 신청할수 있는 채무명의
공증
증서
지급
명령
결정문
화해
조서
판결문
응!!
아차!
채무명의가 집행권원
으로 바뀌었지

김 군이 부르는 '경매는 유리 같은 것'

도전사례 1 강제경매 된 아파트형 공장을 점심 사준 덕에 낙찰

도전사례 2 소유자가 고마워한 강제경매 다세대

도전사례 3 강제경매의 핵심은 스피드

김 군이 부르는
'경매는 유리 같은 것'

김정욱

가난한 집안 형편 탓에 고등학교를 중퇴했으나 자신의 큰 키를 이용한 특수·대형 유리재단 분야에서 두각을 나타내며 성공신화를 일궈냈다. 사업과 경매를 절묘하게 조화시키면서 사세를 불려, 지금은 인천과 김포에 다수의 유리 가공공장을 운영하면서 50명이 넘는 직원들을 거느리는 중견기업의 CEO로 올라섰다. 나눔에도 관심이 많은 그는 최근 통영 인근 해간도에 직원 복지를 위한 지상 4층짜리 고급빌딩을 신축하기도 했다. 여전히 경매투자를 진행 중이며 특히 강제경매 물건에 일가견을 지니고 있다.

고3 배지에 흘러내린 눈물

매년 11월이면 대한민국은 수능시험으로 들썩입니다. 가족이나 친지의 자녀들이 응시하지 않는 이상 대부분의 사람들은 무덤덤하게 지나가게 마련이지만, 저는 매년 이맘때면 고등학교 시절을 조용히 떠올리곤 합니다.

저는 당시 박정희 국가재건최고회의 의장이 민정 이양을 약속한 후 스스로 민정당을 창당해 대통령에 당선된 1963년에 태어났습니다. 소위 제3공화국에서 어린 시절을 보낸 저는 지독한 가난 속에서 병마와 싸웠고, 제대로 된 교육도 받지 못하는 삶을 살아야만 했습니다. 위로는 연로한 조부모, 심장병을 앓는 아버지, 당뇨 합병증으로 고생하는 어머니가 있었고, 밑으로는 여동생 둘에 남동생 하나까지 모두 8명이 단칸방에 살았습니다.

어려운 환경 속에서도 배움을 계속했지만 고등학교 2학년까지가 제가 버틸 수 있는 한계였습니다. 결국 2학년을 끝으로 고등학교를 자퇴했고, 친구들이 수학여행을 갈 때쯤 저는 유리가게 점원 '김 군'으로 불리게 됐습니다.

군사정권 시절의 획일적인 교육 환경을 벗어나 유리가게에서 남들보다 일찍 사회생활을 시작하면서 저는 상대적으로 자유로운 신념과 의지를 갖게 되었습니다. 하지만 친구들이 입은 교복에 붙어 있던 고3 배지를 보며 남몰래 눈물을 흘린 적도 많았습니다. 당시는 지금과 달리 교복에 학년을 표시하는 인식표가 붙어 있던 시절이라, 애써 외면하려 해도 그럴 수가 없었습니다.

이렇게 남몰래 눈물 흘리면서 시작한 유리가게에서 저는 부모님이 물려주신 큰 키(183센티미터)와 긴 팔 덕분에 다른 사람들은 하지 못하는 대형 유리재단에 도전하게 됐습니다. 대형 유리재단이라는 차별화는 다른 가게보다 1.5배 높은 가격, 3배 이상의 매출이라는 기대 이상의 성과로 이어졌습니다. 더욱이 남보다 일찍 사회에 뛰어들어 나이가 어리다 보니, 주변 어른들의 사랑을 듬뿍 받으며 일을 배울 수 있었습니다.

경매와 유리의 공통점

몇 년 후 사장님이 규모를 키워서 새로운 가게를 오픈할 때쯤, 저는 기존 가게의 어엿한 젊은 사장이 되었습니다. 물론 제가 돈을 벌어 가게를 인수한 것은 아니었습니다. 사장님이 주문한 유리를 50퍼센트 싼 가격에 재단해서 다른 곳보다 우선 납품해준다는 조건이 붙긴 했습니다만, 돈 한 푼 없이 어엿한 유리가게 사장이 된 것입니다.

사실 직함만 사장이지 월급도 없고, 숙식 제공에 유리재단 기술 가르쳐주는 노무계약이라고 하는 게 보다 정확한 표현이지만 당시 서로에게는 최고의 계약이었습니다. 제가 처음으로 맺은 이 계약은 훗날 골치가 아파서 오히려 매력적인 명도협상 계약의 기초가 됐습니다.

비록 작은 가게였지만 저를 사장으로 만들어준 그분은 저에게 경영에서 부동산을 어떻게 활용해야 하는지를 가르쳐줬습니다. 쉽게 말하자면 일은 생계수단일 뿐, 부의 축적은 부동산으로 해야 한다는 것이었습니다.

저는 그분의 말씀대로 유리가게를 운영하고 지점을 확대하는 과정에서 어떤 방식으로든 매매를 통해 부동산을 넓혀가는 방법을 고민했습니다. 아울러 부동산을 팔게 된다면 무조건 자신에게 유리한 계약을 체결해, 어떻게 하면 힘든 유리재단 일에서 벗어나면서도 돈은 다른 사람들보다 더 많이 버는 구조를 만들 수 있을까 생각했습니다. 그러던 중 서른에 접어든 1994년, 우연한 기회에 지지옥션의 전신 '계약경제일보'를 알게 되면서 경매 공부를 시작했습니다.

평생 동안 유리가공업을 하면서 느낀 점이 하나 있습니다. 재단을 통해 특정 부분이 깨져야 납품할 수 있는 유리와 채권자-채무자의 신뢰관계가 깨지면서 진행되는 부동산 경매가 묘하게 닮아 있다는 것입니다. 둘 다 중요한 무엇인가가 깨져야만 비로소 저에게 기회로 다가온다는 점이 너무나 흡사합니다. 사업의 특성상 깨져야 돈이 되는 생태계에 최적화된 저는 오직 부동산 경매로만 재산을 사고팔아 직원 50명이 넘는 유리가공업체의 CEO로 성장했습니다.

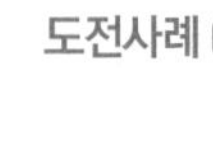

강제경매 된 아파트형 공장을 점심 사준 덕에 낙찰

남부 3계

2008 타경 16391 **아파트형 공장**

소 재 지	서울 금천구 시흥동 113-15 ,-169 새한벤쳐월드 9층 901호 도로명주소				
경매구분	강제경매	채 권 자	윤OO		
용 도	아파트형공장	채무/소유자	써OOOOO	매각기일	09.03.17 (173,000,000원)
감 정 가	**320,000,000** (08.08.11)	청 구 액	11,367,923	종국결과	09.05.22 배당종결
최 저 가	**163,840,000** (51%)	토지면적	42.9 m² (13.0평)	경매개시일	08.07.24
입찰보증금	10% (16,384,000)	건물면적	158.0 m² (47.8평)	배당종기일	08.10.09
조 회 수	· 금일조회 **1** (0) · 금회차공고후조회 **128** (6) · 누적조회 **289** (6) ( )는 5분이상 열람 조회통계 · 7일내 3일이상 열람자 **0** · 14일내 6일이상 열람자 **0** (기준일-2009.03.17 / 전국연회원전용)				

무잉여라도 취소되지 않는 것이 있다

경매용어 중 '무잉여'라는 것이 있습니다. 공식적인 법률용어는 아니지만 실무에서는 자주 쓰이는 말로, 경매를 신청한 채권자가 여러 이유로 배당을 전혀 받지 못하는 경우를 가리킵니다. 한마디로 경매를 신청한 채권자가 자신의 의도 및 목적을 전혀 충족하지 못하는 '무익'

한 상황을 말합니다. 경매라는 제도의 근본 취지가 부동산을 압류한 뒤 현금화해 채권자에게 채권액을 돌려주기 위한 것인데, 무잉여 상황이 발생하면 경매를 진행할 이유가 없어지는 셈입니다.

집행법원은 무잉여 상황이라고 인정되면 경매를 신청한 채권자에게 이를 통지해야 합니다. 이를 통보받은 채권자는 일주일 내에 자신이 변제받을 수 있는 금액을 정한 뒤, 그 가격에 매수하겠다는 신고가 없으면 자신이 그 가격으로 매수하겠다는 의사표시를 해야 합니다. 만약 이러한 경매신청 채권자의 의사표시와 함께 충분한 보증이 없다면 법원은 경매 절차를 취소합니다.

무잉여에 의한 취소는 채권자에게 배당될 금액이 전혀 없는 무익한 경매 진행을 막고, 채권 회수의사가 없는 다른 선순위 채권자들이 억지로 채권을 회수당하는 불합리한 사태를 방지합니다. 채무자가 꼬박꼬박 내는 이자를 잘 받고 있는 다른 채권자로서는 경매를 통해 갑작스레 자신들의 의지와는 무관하게 상황이 전개되는 것을 반길 리 없습니다.

이 물건은 일반적인 무잉여와는 다른 사례입니다. 얼핏 보면 무잉여 같아서인지 2008년 11월 26일, 2009년 1월 6일, 2009년 2월 17일 등 총 세 번이나 유찰됐습니다. 하지만 대법원 경매기록을 확인한 결과, 경매신청 채권자에게 매수통지서를 발송한 적이 없었습니다. 뭔가가 있다는 생각이 든 건 이때였습니다.

강제경매 신청자를 만나기 위해 등기부등본상의 주소지인 경기도 광명시 주공아파트로 찾아갔더니 선뜻 만나주더군요. 차근차근 이야기를 들어보니 임금을 받지 못해 자신이 스스로 판결문을 받아 경매 신청을 했다고 합니다. 혹시 저 말고 다른 사람이 찾아온 적이 있는지 물었더니 아직은 한 명도 없었다고 합니다.

점심 한 끼 대접한 것 치고는 대단한 성과였습니다. 임금과 당해세는 우선변제 대상이니 전혀 무잉여를 걱정하지 않아도 됐던 것입니다.

알고 계신가요? '당일 취하·변경·기각 속보' 서비스

지지옥션은 입찰 당일 경매법정을 직접 취재하는 취재원들이 보내준 내용을 바탕으로 당일 취하·변경·기각된 물건이 있을 경우 이를 실시간으로 회원들에게 알려주는 서비스를 제공하고 있습니다. 입찰 당일에도 경매 상태는 시시각각 변할 수 있기 때문에 매우 중요한 변경 정보를 신속하게 취재해 전달합니다.

지지옥션 홈페이지를 통해 당일 취하·변경·기각 물건이 있을 경우 팝업창으로 알려드리므로 법원에 헛걸음하는 수고를 덜 수 있습니다. 더 자세한 내용이 궁금하다면 팝업창 하단의 '자세히 보기'를 누르거나 '경매 속보' 메뉴 아래의 '당일취하변경' 메뉴를 클릭하면 됩니다. 이러한 속보는 지지옥션 홈페이지뿐만 아니라 SMS, 지지옥션 어플리케이션으로도 알려드리고 있으므로 PC에 접속하지 않아도 언제, 어디서든 확인이 가능합니다.

이전한다 vs. 안 한다

지금은 이 물건 바로 옆에 금천구를 대표하는 아파트인 롯데캐슬이 자리하고 있지만 당시에는 군부대가 있었습니다. 이 부대가 이전할지 말지 설왕설래가 있었던 만큼 신중한 접근이 필요했습니다.

2009년 2월 말 당시 금천구청 홈페이지의 개발계획 관련 자료에는 군부대 면적 19만 2,830제곱미터(5만 8,331평)를 업무, 판매, 공공청사, 종합병원 등으로 개발할 계획이라고 나와 있었습니다. 군부대 이전을 전제로 하고 있었던 것입니다. 저는 시간이 걸릴 뿐 반드시 이전되리라 믿었던 반면, 인근 중개업소는 회의적이었습니다. 정치인들의 공약을 어찌 믿겠냐는 것이 그 이유였습니다.

입찰 당일 취하 여부를 확인했으나 변경 · 취하 명단에는 없었습니다. 강제경매를 신청한 사람도 같은 법정에 나와 있던 터라 멀찍이 떨어져서 함께 간 아내에게 대리입찰을 시켰습니다. 이처럼 입찰 현장에는 대리입찰이 필요할 때가 있으므로 인감증명서와 인감도장을 반드시 가져가야 합니다. 이것이 바로 본인의 신분증과 도장만 챙겨 가는 초보자와 저의 차이입니다.

혹시 몰라 최저가인 1억 6,384만 원에다 900만 원 정도를 더 써서 1억 7,300만 원에 응찰했습니다. 결과는 단독입찰이었습니다.

응찰 전 미리 대출가능 금액을 확인한 결과 낙찰가의 80퍼센트까지 대출이 가능했습니다. 1억 7,300만 원이 낙찰가였으므로 80퍼센트인

1억 3,800만 원까지 대출이 가능했지만 70퍼센트만 대출을 받았습니다. 당시 경락잔금 대출금리가 70퍼센트일 때는 연 4.5퍼센트지만 80퍼센트일 때는 연 4.9퍼센트로 달랐기 때문입니다.

나만의 Tip

입찰할 때는 법원의 은행 창구도 조심해야 합니다. 수표로 보증금을 마련할 경우 금액이 노출되면 누군가에게 최저가와 함께 입찰하려는 물건을 알려줄 수 있기 때문입니다.

관리비 대신 내주고 더 큰 반대급부를 얻다

이 물건은 채무자와 소유자가 달라 소유자인 모 기업을 상대로 인도명령을 신청한 후 집행관을 대동하고 문을 개방했습니다. 안에 있던 기계기구 등에 대한 관리비(300만 원)를 대신 정산했고, 관리실의 적극적인 협조로 명도가 빠르게 진행됐습니다.

관리비는 '집합건물의 소유 및 관리에 관한 법률' 제18조에 근거해 공용 부분만 낙찰자가 부담하면 되므로, 공용이 아닌 개별 관리비까지 제가 낼 필요는 없었습니다. 하지만 집행관과 상의한 결과 명도 시 이사비용을 지불하는 것보다는 훨씬 저렴하다는 판단에 개별 관리비

300만 원도 지불했습니다. 실제로 평당 10만 원이 소요되는 강제집행 비용을 이사비용으로 환산할 경우 '48평×10만 원 = 480만 원'이 소요되므로 이사가 성사될 때까지의 기간 등을 생각하면 이익이었습니다.

낙찰 후 명도까지 3개월이나 걸렸지만 관리실의 협조로 엘리베이터, 출입문 등에 임대 광고를 붙일 수 있어서 바로 임대가 나갔습니다. 기존 점유자 대신 관리비를 정산해줘야 할 경우에는 이처럼 관리실에 잔뜩 생색도 내고, 반대급부로 협조를 얻어내야 합니다. 지금도 이 물건은 계속 보유 중입니다. 가격이 그동안 많이 올랐고 월세 수요도 풍부해 매매할 이유가 전혀 없습니다.

수익률

- 대출이 있는 임대 부동산의 세전 연간 수익률 :

[(연간 월세 수입 – 연간 대출 이자)/(매수가 – 임대 보증금 – 대출 총액)]×100

- 대출이 없는 임대 부동산의 세전 연간 수익률 :

(연간 월세 수입)/(매수가 – 임대 보증금)×100

낙찰가(부대비용 포함) : 183,612,000

대출 총액 : 120,000,000

임대 보증금 : 20,000,000

연간 대출 이자 : 5,400,000

연간 월세 수입 : 26,400,000

[(26,400,000 − 5,400,000)/(183,612,000 − 20,000,000 − 120, 000,000)] × 100 = 48.1%

소유자가 고마워한 강제경매 다세대

남부 5계

2015 타경 17996[1] **다세대**

소 재 지	서울 구로구 구로동 749-54 , 762-22 1층 101호 (08314) 서울 구로구 구로동로18길 55				
경 매 구 분	강제경매	채 권 자	구OO		
용 도	다세대	채무/소유자	조OO	매 각 기 일	16.05.31 (188,880,000원)
감 정 가	**188,000,000** (15.12.13)	청 구 액	62,200,000	종 국 결 과	16.08.18 배당종결
최 저 가	**188,000,000** (100%)	토 지 면 적	18.6 ㎡ (5.6평)	경매개시일	15.11.04
입찰보증금	10% (18,800,000)	건 물 면 적	56.4 ㎡ (17.1평)	배당종기일	16.01.21
조 회 수	· 금일조회 **1** (0) · 금회차공고후조회 **209** (28) · 누적조회 **294** (31) ( )는 5분이상 열람 조회통계 · 7일내 3일이상 열람자 **8** · 14일내 6일이상 열람자 **4** (기준일-2016.05.31 / 전국연회원전용)				

강제경매와 임의경매의 차이

이 물건 역시 강제경매 사건으로 채권자가 판결 또는 공증서에 기반해 신청한 경매입니다. 강제경매와 임의경매는 차이가 여러 가지 있지만 크게 세 가지가 다릅니다.

가장 큰 차이는 집행권원의 필요 여부입니다. 강제경매는 채권자가 집행권원이라고 불리는 판결, 판결문에 준하는 조정 · 화해결정, 공정증서를 가지고 경매를 신청합니다. 이와 달리 임의경매는 당사자 간 계약에 의해 성립된 뒤 등기부등본에 기재된 근저당권 등 담보물권을 토대로 경매를 신청하는 것이므로 집행권원이 필요 없습니다.

또한 양자는 공신적 효과 여부에 의해서도 구분됩니다. 강제경매는 절차상의 하자가 있는 경우에만 취소될 수 있습니다. 따라서 집행권원에 표시된 권리가 존재하지 않거나 무효인 실체적 하자가 있는 경우에도 낙찰자는 유효하게 소유권을 취득합니다. 반면 임의경매는 공신적 효과가 인정되지 않습니다. 예컨대 경매를 신청한 근저당권이 경매개시결정 전에 이미 소멸된 경우 매수인은 소유권을 취득할 수 없습니다.

마지막으로 강제경매는 채무자가 미리 알면 경매를 방해할 수 있으므로, 반드시 경매개시결정등기가 등기부등본에 기입되고 나서 경매개시결정 정본을 채무자에게 송달하지만 임의경매는 그렇지 않습니다.

이러한 차이를 알고 강제경매 물건을 낙찰 받으려면 위의 세 가지 특성 중 두 가지만 알면 됩니다. 우선 강제경매는 채무자의 재산이면 어느 것에나 신청이 가능하다는 점입니다. 두 번째로는 법원에서 매각허가결정이 나면 경매신청 원인이 사라졌다 하더라도 강제경매는 반드시 낙찰자의 인감증명서, 인감도장이 첨부된 동의서가 있어야만 경매 취하가 가능하다는 점입니다.

골라 입찰하는 재미

1순위	근저당 구로2동 새마을금고 110,500,000원
2순위	구OO 62,200,000원
3순위	강제경매 구OO

물건번호 1번의 감정가는 1억 8,800만 원, 2번의 감정가는 1억 9,800만 원입니다. 물론 1번과 2번의 등기부등본상의 내용은 같습니다. 1순위 근저당권자(구로2동 새마을금고)와 2순위 경매신청 채권자의 채권금액 합계는 약 1억 7,000만 원으로 1번의 감정가보다 낮습니다. 다시 말해서 두 개의 물건 중 하나만 낙찰돼도 채권자의 채권액과 통상적인 경매 진행비용은 충분히 충당할 수 있으므로 한 개만 경매가 진행될 가능성이 매우 높다는 얘기입니다. 임의경매라면 통상 한 개만 경매에 나왔겠지만, 사람을 따라가는 강제경매의 특성상 채무자가 소유한 물건 1, 2번 모두 경매시장에 나왔다는 점을 알 수 있습니다.

그렇다면 이제 두 개의 물건 중 어느 것을 택할지만 결정하면 됩니다. 물건번호 1번은 1층에다 근린상가로도 이용이 가능한 방 두 개짜리이고, 물건번호 2번은 같은 건물 2층의 다세대입니다. 어느 것을 골라야 할지는 불 보듯 뻔합니다. 더군다나 1번의 감정가는 2번보다 낮습니다.

이 물건의 또 다른 장점은 바로 위치입니다. 7호선 남구로역에서 불과 100미터, 도보 2분 거리에 있으며, 남구로역과 구로시장까지 연결된 번화가에 자리하고 있습니다. 이 거리는 부동산, 잡화, 미용실, 음식점 등 근린생활상가가 쭉 이어져 있는 곳으로, 당시 1층은 소유자 가족이 중국 식품점과 편의점을 운영할 정도로 위치가 좋은 곳이었습니다. 인근 중개업소 탐문 결과 이 거리의 상가 보증금은 평당 2,000만 원이 넘지만 매물이 없다고 했습니다.

악덕 대출업자로부터 구제된 소유자

강제경매는 소유자의 재산을 따라가므로 물건번호 1, 2번이 동시에 경매시장에 나왔습니다. 등기부등본상의 권리분석에 따르면 둘 중 하나만 입찰해도 나머지 하나는 취하된다고 판단해 남들이 눈독 들이기 전에 신건에 입찰하기로 결정했습니다. 물건번호 1번에 과감하게 감정가보다 88만 원 더 써서 다행히 단독입찰로 낙찰 받았습니다. 당연히 대금 지급 후에 2번 물건은 취하됐습니다.

이 물건은 경락잔금 대출상품을 취급하는 중개업자에게 도움을 받았습니다. 예상과 달리 수수료도 없고 친절했습니다. 당시는 상가에 대해 신용등급에 문제가 없다면 낙찰가의 80퍼센트까지 연 3.6퍼센트 금리로 경락잔금 대출이 가능했습니다.

명도를 진행하는 과정에서는 오히려 채무자 겸 소유자에게 감사인사를 받았습니다. 강제경매 신청권자가 악덕 대출업자라 처음 3,000만 원 정도였던 채권액이 불과 3년 만에 6,200여만 원으로 불어나, 만약 유찰됐더라면 2번 물건까지 경매됐을 거라는 얘기도 들었습니다. 오히려 고맙다는 말을 들었지만 빠른 명도를 위해 채무자에게 이사비 150만 원을 지급했습니다. 왜냐하면 낙찰 후에도 여전히 전 소유자는 경매가 취하된 2층에 거주하기 때문입니다.

명도 완료 후 인근 중개업소에 임대매물로 등록한 지 사흘 만에 미용실과 임대차계약을 체결했습니다. 1층 상가이므로 계속 보유할 생각입니다.

수익률

낙찰가(부대비용 포함) : 198,868,000

대출 총액 : 135,000,000

임대 보증금 : 10,000,000

연간 대출 이자 : 5,400,000

연간 월세 수입 : 13,200,000

[(13,200,000－5,400,000)/(198,868,000－10,000,000－135,000,000)]×100＝14.5%

강제경매의 핵심은 스피드

남부 1계

2017 타경 103600 **다세대**

소 재 지	서울 강서구 화곡동 332-19 경원그린빌라 지층 B02호 (07752) 서울 강서구 초록마을로 157-20				
경 매 구 분	강제경매	채 권 자	현OOOO		
용 도	다세대	채무/소유자	이OO	매 각 기 일	18.02.06 매각
감 정 가	**178,000,000** (17.08.29)	청 구 액	13,342,965	종 국 결 과	18.02.19 취하
최 저 가	**178,000,000** (100%)	토 지 면 적	29.7 m² (9.0평)	경매개시일	17.08.23
입찰보증금	10% (17,800,000)	건 물 면 적	64.7 m² (19.6평)	배당종기일	17.11.23
조 회 수	· 금일조회 **1** (0) · 금회차공고후조회 **35** (11) · 누적조회 **129** (13) · 7일내 3일이상 열람자 **4** · 14일내 6일이상 열람자 **3**	( )는 5분이상 열람 조회통계 (기준일-2018.02.06 / 전국연회원전용)			

공부상 지하라도 반드시 가봐야

강제경매와 임의경매의 취하 조건에 어떤 차이가 있는지는 앞서 설명한 바 있습니다. 강제경매는 법원의 매각허가결정이 나면 신청 원인이 사라졌어도 낙찰자의 동의서가 필요합니다. 이러한 강제경매의 특성을 적극 활용한 사례가 바로 이 물건입니다.

이 물건의 등기부등본을 토대로 권리분석을 해보면 다음과 같습니다.

감정가	178,000,000원
강서구의 당해세 압류	3건
1순위	남서울농협 132,000,000원
2순위	개인 12,000,000원
3순위(안분배당자)	가압류 OO캐피탈 7,888,558원

강제경매 신청자는 ○○캐피탈(1,334만 2,965원)로 강서구 당해세와 경매비용 등을 제외하면 총 채권금액이 1억 5,188만 8,558원입니다. 2013년 6월 27일자에 ○○캐피탈이 가압류함으로써 사건이 발생됐고, 2014년 강서구에 대한 지방세 체납 등으로 인해 채무자는 상황이 더욱 나빠졌습니다.

결국 ○○캐피탈은 2013년 당시 가압류 금액보다 500여만 원 이상 늘어난 1,334만 2,965원으로 강제경매를 신청했습니다. 경매신청 금액보다 보유한 부동산의 감정가가 훨씬 높은데도 어떤 사정으로 인해 채무를 해결할 수 없었던 것으로 보입니다.

이 물건의 경우 소유자가 점유하고 있어 대항력은 없습니다. 공부상으로는 지하이나 현장에 가서 확인한 결과 1층이었으며, 햇볕도 잘 들어오는 구조였습니다. 다세대주택의 약점인 협소한 주차 공간도 앞쪽 공간을 활용하면 해결될 수 있을 것으로 생각했습니다. 전철역도 400여 미터로 가깝고, 소득 수준 등을 감안할 때 마트보다 선호하게 마련인 재래시장도 전철역에서 나오면 바로 위치해 있었습니다. 실평수 약 20평에 방 세 개, 화장실 두 개짜리 물건의 감정가가 1억 7,800만 원이면 인근 시세인 2억 2,000만~2억 4,000만 원보다 4,000만~6,000만 원 싸다는 결론에 도달했습니다.

수익은 마음의 여유에서 나온다

여러 정황상 채무자가 경매를 취하할 수 있어서 더 이상 시간을 끌면 안 되겠다고 생각했습니다. 이에 첫 입찰에서 감정가보다 200만 원 높게 응찰해 낙찰에 성공했습니다.

2018-02-06	180,080,000원 낙찰
2018-02-09	채무자 열람 및 복사
2018-02-12	채권자로부터 경매취하서 제출
2018-02-13	매각허가결정
2018-02-19	낙찰자의 취하동의서 제출
2018-02-19	입찰 보증금 환급

낙찰 후의 과정을 살펴보면, 경매신청 채권자로부터 경매취하서가 매각허가결정 전에 법원에 제출되었음에도 매각허가결정이 나왔다는 것을 알 수 있습니다. 강제경매는 절차상의 하자가 있는 경우에만 취소될 수 있기 때문에 낙찰자는 유효하게 소유권을 취득하는 강제경매의 강력한 장점이 그대로 나타난 것입니다. 채무자이자 소유자는 마음이 급해질 수밖에 없습니다. 나중에 만나보니 빚만 갚으면 당연히 경매는 되지 않을 것이라고 믿었답니다. 심지어 법률 전문가들도 그렇게 알고 있는 경우가 많다고 합니다.

낙찰자는 여유도 있어야 합니다. 인생은 파도와 같아서 언제 낙찰자가 채무자로 전락할지 모르기 때문입니다. 저는 입찰금액 대비 일정 금액을 받는 조건으로 깨끗하게 취하에 동의해줬습니다. 2주간 입찰을 위해 투자한 시간과 노력에 비하면 상당히 큰 금액이었습니다. 경매가 취하됐으므로 취하 당일 입찰 보증금 1,780만 원은 법원에서 돌려받았습니다.

해간도에서 나눔을...

고등학교를 중퇴한 김 군이 이제는 어느 정도 많은 것을 누리게 되었기에 저와 함께 일하는 직원 50명에게 자그마한 선물을 마련했습니다. 통영 앞바다의 섬 중 해간도라는 곳에 직원 복지 차원에서 최고급 인테리어를 갖춘 지하 1층, 지상 4층 규모의 건물을 신축한 것입니다.

오른쪽은 해간도에 지은 신축건물의 사진입니다. 누구라도 고3 배지에 남몰래 눈물을 훔치던 그 김 군을 보고 싶다면 환영합니다.

채무자가 명도강제
집행에 저항
할 경우
집행관은 軍이나
경찰의 원조를
요청할 수
있다

03

자동차 엔지니어, 경매와 정면 충돌하다

도전사례 문자 명도로 효율성을 높인 지방 아파트

자동차 엔지니어, 경매와 정면 충돌하다

이광섭

기계 관련 학과가 취업이 잘된다는 부모님 말씀을 따라 자동차공학과에 입학해 자동차 연구원이 된 직장인. 좀 더 나은 삶을 찾아 기계공학으로 전공을 바꿔 진학한 대학원에서 아내를 만나 다섯 살 아들과 함께 단란한 가정을 꾸리고 있다. 컴퓨터 시뮬레이션을 통해 충돌 시 자동차 부품을 분석하는 능력과 세심함이 부동산 경매 데이터를 분석하는 데도 큰 도움이 된다는 그는 주로 지방 아파트에 입찰하는 개성만점의 투자 스타일을 지녔다.

분석과 세심함의 콜라보

경매 이야기를 하기에 앞서 제 본업 이야기를 먼저 꺼내는 것이 좋겠다는 생각이 들었습니다. 이 책의 독자들 중에는 저처럼 평범하게 직장 생활을 하는 분들도 있을 것 같아서입니다. 그들 중 대부분은 지금까지 경매나 부동산 투자는 전문적인 투자자나 하는 것으로 여겼을 것입니다. 하지만 저의 부족한 경매 도전기를 통해 다른 직장인들도 경매로 보다 여유로운 삶을 설계할 수 있다는 공감대를 형성하는 데 도움이 되었으면 하는 것이 작은 바람입니다.

저는 일반인에게는 다소 생소할 수 있는 'CAE(Computer Aided

Engineering)' 업무를 담당하는 자동차 구조 · 충돌 해석 엔지니어입니다. 수만 개의 자동차 부품은 기능과 안전성 충족을 위해 수많은 테스트를 거쳐 탄생하게 됩니다. 설계자가 최초 디자인한 부품을 실제 제품으로 만들어 테스트한 결과 그 제품이 법규를 충족시키지 못할 경우에는 다시 보강 설계를 하고, 또다시 제품을 만들어 재차 시험을 하게 됩니다. 이러한 시행착오의 과정이 반복될수록 비용과 시간은 눈덩이처럼 불어나게 마련입니다.

하지만 오늘날에는 비약적인 컴퓨터 기술의 발전으로 반복되는 손실 비용과 시간을 컴퓨터 시뮬레이션을 통해 대폭 감소시킬 수 있습니다. 설계자가 디자인한 부품을 컴퓨터 프로그램을 이용해 테스트 조건과 동일하게 시뮬레이션을 하고, 부품이 법규를 충족시키는지, 아니라면 취약한 부분은 어디인지, 제품을 직접 만들지 않아도 예측이 가능합니다.

이와 같이 컴퓨터 시뮬레이션을 통해 예측을 하고 판정을 내리는 업무를 '해석(CAE)'이라고 합니다. 자동차 충돌 순간은 육안으로는 볼 수 없을 정도의 짧은 시간인 '밀리세크(msec)', 즉 1,000분의 1초 단위를 사용합니다. 그 짧은 시간 속에서 컴퓨터는 수많은 자동차 부품이 충돌 순간 어떻게 변형되는지 예측하고, 이를 통해 나온 무수히 많은 그래프와 수치를 엔지니어에게 숙제처럼 던져줍니다. 엔지니어는 눈으로 볼 수 없는 밀리세크 단위에서 벌어지는 일들을 하나하나 분석해나가며 최적의 부품을 만들어냅니다.

저는 이처럼 본업을 통해 얻게 된 분석 능력을 지금의 정보 홍수시대에 넘쳐나는 부동산 데이터를 활용하는 데 십분 활용할 수 있었습니다. 분석에 필요한 세심함은 다른 임대인들보다 더욱 디테일한 리모델링을 통해 임차인들의 마음을 사로잡아 빠른 임대계약 체결을 이끌어내는 원동력으로 작용했습니다.

경매라는 신세계

2015년 12월 31일 밤, 저물어가는 한 해를 보내며 "우리 앞으로도 지금처럼만 행복하게 잘 살아보자"라며 아내와 집에서 오붓한 시간을 보내고 있었습니다. 이런저런 이야기 도중 아내가 "요즘 직장인 은퇴 시기도 빨라지고 있다는데 우리는 노후에 어떻게 될까? 요즘 노후를 대비해서 공인중개사 자격증을 많이 취득한다던데 당신도 그거 한번 준비해보는 건 어때?"라고 하더군요.

그 말을 듣고 공인중개사 자격증에 한번 도전해보자는 생각으로 책을 주문하고, 퇴근 후 부푼 꿈을 안고 책장을 넘겼습니다. 입지계수, 경제기반 승수, 수익환원법 등 부동산의 '부'자도 모르는 저에게 공인중개사 입문 책이 안겨준 선물은 그저 쏟아지는 졸음뿐이었습니다.

저는 이 사실을 믿을 수가 없었습니다. '분명히 내가 책을 잘못 고른 걸 거야. 다른 책을 찾아봐야겠다'고 생각하며 인터넷 서점에서 관련 도서를 검색했습니다. 그러던 중 이 책을 사지 않으면 영원히 부자가 될 수 없을 것 같다는 느낌이 들 만큼 자극적인 제목이 달린 부동산 갭 투자서적 한 권을 발견했습니다. '초보도 할 수 있다고? 그럼 이 책으로 흥미를 불러일으킨 후 다시 공인중개사 자격증 공부에 매진을 해보자!'

새로 구입한 책을 읽기 시작했는데 전과 달리 너무나 흥미로워 새벽까지 책장을 덮을 수가 없었습니다. 그 후 부동산 관련 도서를 몇 권 더 읽다 보니 '공인중개사도 좋지만 그것보다 내가 가야 할 길은 부동산 투자다!'라는 생각을 굳히게 되었고, 어느덧 책장을 가득 채울 정도의 부동산 투자 서적 수백 권을 모조리 읽기에 이르렀습니다.

책을 어느 정도 읽은 다음부터는 퇴근 후 지친 몸을 이끌고 강남역 인근의 부동산 투자 관련 각종 세미나에도 참석했습니다. 그 당시 직장은 충남 아산이었고, 집은 천안이었습니다. 아산에서 강남역 세미나장까지 강사의 한 마디라도 놓치지 않기 위해 열심히 뛰었고, 세미나가 끝난 늦은 밤에는 천안행 SRT 막차를 놓치지 않기 위해 수서역에서 SRT 탑승구까지 거친 숨을 내쉬며 달렸습니다. 서류가방을 든 채 부자가 될 우리 가족의 미래를 상상하면서 말이지요.

그렇게 고된 시간이 흘러 무수히 많은 책을 읽고 여러 세미나를 다녀본 결과, 어느 순간 그 어떤 새로운 것을 들어도 제가 이미 알고 있는 지식을 벗어나지 않는다는 결론에 도달했습니다. 마지막으로 딱 한 권만 더 읽고 실전에 입문해보자고 마음먹은 그때, 황금색 표지의 다소 두툼한 경매 책을 발견했습니다.

저는 생각했습니다. '경매? 빨간 딱지? 경매는 무서운 것 아닌가? 일반인이 할 수 없는 낯설고 두렵기만 한 그들만의 리그인 경매를 일반인이 할 수 있다고? 급매보다 싸게 부동산을 취득할 수 있다고?' 반신반의하면서도 제 인생의 마지막 부동산 책이라 생각하고 그 책을 구입해서 읽어봤습니다. 예상과 달리 너무나 흥미로웠던 나머지 세 번이나 정독할 정도였습니다. 책을 읽고 나서 제가 내린 결론은 '경매는 나의 길이다!'였습니다. 얼마 후에는 저자가 운영하는 인터넷 카페에 가입했습니다. 태어나서 처음으로 피 같은 제 돈을 지불하고 오프라인 정규 수업이라는 것도 들었고, 그곳에서 제가 존경하는 두 분의 멘토를 만나 현재까지도 소중한 인연을 이어나가고 있습니다.

문자 명도로 효율성을 높인 지방 아파트

목포 1계

2017 타경 6420 **아파트**

소 재 지	전남 목포시 연산동 1260 연산주공4단지 403동 2층 201호 (58632) 전남 목포시 원산중앙로 87				
경매구분	임의경매	채 권 자	목OOO		
용 도	아파트	채무/소유자	김OO/김OOOO	매 각 기 일	18.04.30 (71,112,000원)
감 정 가	**73,000,000** (17.08.21)	청 구 액	43,327,700	종 국 결 과	18.07.19 배당종결
최 저 가	**51,100,000** (70%)	토 지 면 적	27.7 ㎡ (8.4평)	경매개시일	17.08.09
입찰보증금	10% (5,110,000)	건 물 면 적	49.6 ㎡ (15.0평) [20평형]	배당종기일	17.11.08
조 회 수	· 금일조회 **1** (0) · 금회차공고후조회 **38** (20) · 누적조회 **225** (31) ( )는 5분이상 열람 조회통계 · 7일내 3일이상 열람자 **7** · 14일내 6일이상 열람자 **5** (기준일-2018.04.30 / 전국연회원전용)				

다섯 살 아들과의 '입찰여행'

저는 평소 법원에 가면 입찰 봉투를 넉넉히 챙겨 오는 편입니다. 챙겨 온 봉투와 같은 지역에 입찰할 때는 전날 집에서 서류를 미리 작성하고 날인까지 해놓기 때문에 입찰 당일 법원에서 제가 할 일은 봉투를 제출하는 것밖에 없습니다. 현장에서 작성할 것이 없으니 실수할 일도 없습니다.

이 물건 역시 법원에서 할 일이 없기에 조기교육 차원에서 다섯 살 아들과 단둘이 전남 목포로 '입찰여행'을 떠났습니다. 조금 늦더라도 입찰 마감시간 전까지만 도착하면 되기 때문에 여유가 있었습니다. 입찰 당시 KB시세는 8,500만 원, 전세가는 7,500만 원, 마지막으로 감정가는 7,300만 원이었습니다. 당시 목포 지역 아파트의 낙찰가율은 93~97퍼센트 수준이었습니다.

이 물건은 2층이고 체납 관리비는 없었으나, 보증금 2,000만 원을 한 푼도 돌려받지 못하는, 다소 명도저항이 예상되는 후순위 세입자가 있었습니다. 이를 감안해 감정가 대비 97퍼센트를 살짝 상회하는 수준인 7,100만 원 정도에 입찰하면 낙찰 받을 수 있을 것 같다는 판단이 들었습니다. 입찰 결과 예상대로 최고가 매수인이 되었습니다.

전세가보다 낮은 낙찰가로 나름 만족스러운 결과였습니다. 대출은 KB시세의 70퍼센트 수준인 5,800만 원이 나왔고, 월세 보증금 1,000만 원을 받을 경우 실제 투자금은 300만 원 수준입니다. 대출금에 대한 월 이자를 제하고도 20만 원 이상이 남는 괜찮은 물건입니다. 월세가 아닌 전세로 임대할 경우 오히려 대출 금액을 상회하는 플러스 투자가 될 정도로 좋은 물건이었습니다.

알고 계신가요? '입찰표 작성' 서비스

경매를 위해 반드시 작성해야 하는 입찰표는 잘못 작성할 경우 입찰 보증금을 날릴 수 있어 입문자나 초보자들이 가장 어려워하는 부분이기도 합니다. 이 때문에 입찰 전 충분한 연습을 통해 실수를 방지해야 하고, 가급적 미리 작성해 입찰 당일 경매법정의 분위기에 휘둘리지 않도록 해야 합니다. 지지옥션은 이처럼 입문자나 초보자의 실수를 막고, 경험자 또한 입찰 당일 여유 있게 응찰할 수 있도록 '입찰표 작성' 서비스를 제공하고 있습니다.

지지옥션이 제공하는 입찰표는 전국 어느 법원에서나 적법한 입찰표로 인정되므로 PC상에서 금액을 입력한 후 인쇄해 제출해도 되고, 인쇄 후 펜으로 작성해 법원에 제출해도 됩니다. 본인뿐만 아니라 대리인, 법원, 공동입찰 등 다양한 형태의 입찰표를 제공하고 있으며, 입찰 봉투를 기재하는 방법도 샘플을 통해 자세하게 설명하고 있으니 꼭 활용해보시기 바랍니다.
이용 방법은 경매물건 상세페이지의 우측 상단에 있는 '입찰표 작성' 메뉴를 클릭하면 됩니다.

명도저항이 심할 것으로 예상되는 임차인과의 밀당

2017년 4월 30일 낙찰을 받은 후, 영수증을 챙겨 들고 직접 물건지를 방문해 현관문에 미리 작성한 메모지를 붙였습니다. '낙찰자입니다. 연락 주세요.' 관리사무소에 가서 체납 관리비를 확인하고, 제 연락처를 점유자에게 전해달라는 부탁을 하고 집으로 돌아왔습니다.

그리고 며칠 후, 낯선 번호의 전화 한 통이 걸려 왔습니다. 받지 않았습니다. 또 전화가 옵니다. 그래도 받지 않았습니다. 직감적으로 점유자라는 것을 알 수 있었습니다. 하지만 보증금 전액을 배당받지 못하는 세입자이기 때문에 명도저항이 강할 것이라는 생각이 들어 그 어느 때보다 신중해야 했습니다. 이를 위해 문자도 보내지 않고 계속 기다렸습니다. 사람은 눈에 보이지 않는 것에 두려움을 느낀다는 것을 저는 알고 있었습니다.

6월 20일이 잔금 납기였고, 6월 1일 이후로 소유권등기를 하면 재산세를 납부하지 않아도 되었으므로 제게는 한 달이 넘는 많은 시간이 남아 있었습니다. 그래서 점유자로부터 전화가 오든 문자가 오든 일절 대응하지 않았습니다. 그사이 저는 점유자가 점점 지쳐간다는 것을 느낄 수 있었습니다. 기회였습니다.

"급히 처리해야 할 다른 큰 경매 사건이 몇 건 있어 연락이 늦었습니다. 그동안 제가 신경을 못 썼지만 아마 이사 가실 시간은 충분하셨을 텐데……. 설마 아직도 살고 계신 건 아니지요? 혹시 살고 계시다면 이날까지 비워주시기 바랍니다. 예상 강제집행 날짜는 이날이니 현명한 판단하시고 3일 이내에 문자로 회신 주세요."

이렇게 내용증명을 작성한 후 이미지 파일로 변환해 점유자에게 문자로 보냈습니다. 하지만 3일이 지나도 회신은 오지 않았습니다. 내용증명을 보내고 사흘째 되는 날 오후, 목포의 만 원 대 심부름센터에 전화를 걸어 "밤 10시에 방문해서 불이 켜 있는지 봐주시고, '3일이 지났는데도 연락이 없으시네요? 강제집행일은 이날입니다'라는 메모를 현관에 붙여주세요. 절대 초인종은 누르면 안 됩니다. 점유자가 눈치 채지 못하게 부탁합니다"라고 의뢰했습니다.

의뢰를 받은 심부름센터에서는 불이 켜 있는 물건 사진과 메모를 붙인 현관문 사진을 저에게 보내왔습니다. 그러자 다음 날 아침 점유자로부터 이사 갈 집의 계약서 사진이 문자로 왔습니다. 이사일이 6월 26일로 잡혀서 잔금 납부를 기한 하루 전날인 6월 19일에 처리했습니다. 잔금 납부 날짜를 납기 하루 전날로 잡는 이유는 혹시나 법무사가 잔금을 내러 가다가 교통사고라도 당하면 잔금을 치를 수 없기 때문에 미리 대비하는 차원에서였습니다.

훈훈한 마무리

드디어 가슴 설레는 명도일이 왔습니다. 해당 아파트에 도착해 사다리, 페인트 등 셀프 인테리어에 필요한 공구를 들고 물건지 내부로 들어갔습니다. 이삿짐은 이미 다 빠진 상태였고, 40대로 보이는 여자분이 있더군요. 미리 작성해 간 명도합의서를 꺼내는 동안 점유자는 울먹이며 "어떻게 사람이 그렇게 전화도 안 받고, 나타나지도 않고, 문자도 그렇게 하고 싶을 때만 하냐? 난 하고 싶은 얘기도 많고, 돈 한 푼 못 받고 쫓겨나 너무 억울하기도 하고, 밤마다 현관에 붙이는 메모지도 너무 무서웠다"라며 푸념을 하더군요.

저는 봉투 하나와 명도합의서를 내밀며 "적은 액수나마 가족분들과 점심 드실 정도의 비용 넣어드렸습니다. 여기 명도합의서에 도장 찍으시고요. 고생 많으셨습니다"라고 얘기했습니다. 하지만 점유자는 이대로는 너무 억울해서 못 나가겠다며 본인 돈으로 설치한 거실과 주방 LED 조명을 떼 가겠다고 하더군요. 저는 흔쾌히 그러시라고 했습니다.

점유자는 제가 가져온 사다리를 보고는 "할 줄 모르는데 떼 주시면 안 될까요?"라고 물었습니다. 저는 묵묵히 조명을 뗀 뒤 먼지를 털어 점유자에게 건네며 "앞으로는 바쁘시더라도 전입신고랑 확정일자 꼭 받으세요. 힘내시고요"라고 말했습니다. 점유자는 감정이 북받쳤는지 눈물을 훔치며 "감사합니다. 사장님도 부자 되시고요"라고 말했고, 이에 저는 "네, 안녕히 가세요"라고 마지막 인사를 건넸습니다. 이렇게 명도는 훈훈하게 마무리됐습니다.

셀프 인테리어로 효율성 극대화

준비해 간 페인트를 칠하는 동안 미리 약속한 시간대별로 인테리어 업자들이 실측을 위해 속속 도착했습니다. 오는 분들 모두 페인트를 칠하는 제 모습을 보며 "사장님 만나기로 했는데요. 아직 안 오셨나 보네요?"라고 물어봅니다. "네, 제가 전화드린 사람입니다"라고 대답하면 한결같이 놀라면서 "페인트칠을 직접 하세요? 선수시네"라는 반응입니다.

보유한 아파트 중 가장 예쁘게 인테리어가 진행된 사진을 보여주며 "사진하고 똑같이 할 건데 견적 부탁드려요"라고 요청한 뒤, 실측하는 동안 저는 또 페인트를 칠합니다. 조금 있다가 "제가 멀리 살아서 그러는데 공사 후 사진 찍어서 문자로 보내주시면 제가 주말에 와서 확인하고 잔금 송금해드리겠습니다. 대신 계약금 50퍼센트는 지금 보내드릴게요. 괜찮으시죠?"라고 제안합니다. 물론 인테리어업계 사장님들은 다 OK였습니다.

집으로 올라와 평일에 회사에서 업무를 보고 있으면 업체별로 공사 완료 사진이 차례차례 도착합니다. 금요일 퇴근 후 리모델링이 완료된 내 집을 볼 수 있다는 부푼 기대감에 쉬지 않고 장거리를 달려갑니다. 현관문을 열고 첫발을 내딛는 순간 펼쳐지는 깔끔하게 탈바꿈한 내부 모습을 보면 기분이 정말 좋습니다. 공사는 잘됐는지 구석구석 꼼꼼히 살피다 보면 어느덧 시간은 밤 10시가 되어갑니다. 미리 구입한 LED 전등, 콘센트, 전기 스위치 등을 꺼내고 나면 금요일 밤의 '셀프 전기작업'이 본격적으로 시작됩니다.

이 물건은 셀프 인테리어가 끝난 후 중개업소에 등록한 지 3일 만에 보증금 500만 원, 월세 43만 원에 임대차계약을 체결했습니다. 보증금을 더 올리고 월세를 내렸다면 다음 투자금 확보가 더욱 원활했을 거란 아쉬움은 남습니다. 하지만 해당 물건의 실제 임대현황이 보증금 500만 원, 월세 35만 원 수준인 점을 감안하면 나름 만족할 만한 성과라고 생각합니다.

수익률

낙찰가(부대비용 제외) : 71,110,000

대출 총액 : 58,000,000

임대 보증금 : 5,000,000

연간 대출 이자 : 2,520,000

연간 월세 수입 : 5,160,000

[(5,160,000 − 2,520,000)/(71,110,000 − 58,000,000 − 5,000,000)] × 100 = 32.5%

나만의 Tip

저는 지방의 소형 아파트를 위주로 경매투자를 진행하고 있습니다. 이처럼 투자 대상을 지방 아파트로 결정하는 과정에서 현재 쓰는 방법은 아니지만 크게 도움이 됐던 방법을 하나 소개할까 합니다.

우선 적은 투자금으로 아파트를 낙찰 받기 위해 매매가 대비 전세가 비율이 높은 아파트를 선정합니다. 그 후 해당 아파트가 위치한 시, 군, 구의 역사를 검색합니다. 다음으로는 그 아파트의 시세가 주변 아파트 대비 어느 정도인지를 판단하기 위해 인터넷에서 지도를 나눠 캡처합니다. 캡처한 지도를 모두 A4 용지에 출력한 뒤 이어 붙여서 자신만의 거대한 지도를 만듭니다.

그리고 그 지도 위에 주변 아파트들의 세대 수와 함께 매매, 전세, 월세 시세를 표기한 이른바 '시세 지도'를 만듭니다. 마지막으로는 통계청, 국토교통부 사이트를 활용해 해당 지역 주민의 월수입, 인구 전출입 수, 수십 년간의 실거래가 정보 등 방대한 자료를 수집하고 요약해 PPT로 예쁘게 정리합니다.

매수 판단이 들면 운동화 끈을 동여매고 기분 좋게 인증샷 한 방 찍은 후 앞서 만든 시세 지도를 들고 아파트가 위치한 지역으로 가서 주변을 둘러보는 임장을 시작합니다. 살기는 쾌적한지, 상가는 어디에 위치해 있는지, 학교와 은행은 어디에 있는지 등을 확인하며 걷고 또 걷습니다. 센스 있는 분들은 임장 시 아파트 주차장에 주차된 차들을 보며 소득 수준도 가늠하고, 정자에 앉아 지나가는 사람들의 옷차림, 헤어스타일, 말투 등도 살펴본다고 합니다. 조금 더 용기 있는 분들은 매수인, 매도인, 세입자 중 하나로 변신해 중개업소에 들러 시세를 파악하기도 한답니다.

바쁜 직장인들이 시간을 줄이는 방법

회사를 다니면서 이렇게 지도까지 만들어가면서 투자할 수 있을까요? 직장인이 이 방법을 통해 과연 1년에 몇 채의 아파트를 매수할 수 있다고 보시나요? 저라면 솔직히 하다 지쳐서 한 채 매수하고 그만둘 것 같습니다. 어쩌면 한 채도 못 산 채 포기할지도 모릅니다.

저는 경매를 하는 동안 직장인이 지치지 않고, 부담도 느끼지 않는 효율적인 투자 방법은 없을까를 고민했습니다. 그리고 정답은 아니지만 저만의 기준을 세우고 다음과 같은 방법으로 물건을 선정합니다.

기본적으로는 '영원한 상승도, 영원한 하락도 없다'라는 말을 항상 염두에 두고 투자에 임합니다. 수급, 경제상황, 지역 현안 등 다양한 요인으로 인해 현재 상승하는 지역도 언젠가는 하락을 맞이하고, 그 반대의 경우도 발생할 수 있다는 생각을 가지고 있다는 얘기입니다. 이는 곧 장기적인 측면에서 볼 때 현재 상승 중인 지역에 집중 투자하기보다는 전국 여러 지역에 분산 투자하는 것이 예측할 수 없는 리스크를 조금이나마 줄일 수 있다는 의미입니다.

우선 자신의 경제상황을 고려해 가용 현금을 파악한 후 지지옥션의 종합검색에서 감정가 최소, 최대 금액을 고릅니다. 용도는 '아파트'로 선정을 하고 검색을 누르면 자신이 입찰할 수 있는 금액대의 무수히 많은 전국 아파트가 검색됩니다. 수십 페이지에 이르는 물건들의 리스트를 보면 직장인은 피곤합니다. 특수물건들은 내공이 부족하고, 직장인이라 시간도 부족하기 때문에 일단 필터링을 통해 걸러냅니다.

그래도 아직까지 셀 수 없을 정도로 많은 물건 리스트가 보입니다.

다행히도 지지옥션은 리스트 상태에서 감정가와 KB시세를 보여주므로 굳이 클릭해서 보지 않아도 됩니다. 감정가는 과거 수개월 전에 감정평가사가 평가한 그 시점의 시세를 뜻하고, KB시세는 현재 시세를 뜻합니다. 만약 감정가보다 KB시세가 높은 물건이 있다면 수개월 전보다 가격이 올랐다는 뜻이므로 관심을 가질 필요가 있습니다.

이 중 자신이 소화할 수 있는 거리에 위치하고, 감정가와 KB시세의 차이가 큰 두 가지 조건을 모두 만족하는 물건으로 좁힌다면 많아야 3~5페이지 정도로 압축됩니다. 이 정도 분량이면 퇴근 후 한두 시간가량 할애해서 충분히 검토해볼 만한 수준입니다.

그 밖에 지지옥션에는 등기부등본, 세대조사원본, 현황조사서뿐만 아니라 권리분석 결과, 예상 배당표, 예상 대출 가능액, 과거 입찰가 및 '입찰적정가 알파G' 등의 다양한 정보가 제공되니, 이를 잘 활용한다면 효율적으로 물건 선정을 할 수 있습니다. 그리고 요즘에는 질 좋은 인터넷 지도 서비스가 나와 있어 굳이 임장을 가지 않더라도 로드뷰, 스카이뷰 기능을 통해 물건지 주변을 살펴볼 수 있습니다. 거리 측정도 가능하기 때문에 이런 다양한 기능들을 활용해보는 것도 좋습니다.

미리 준비해 실수를 줄여라

처음 경매법정에 가서 TV로만 보았던 법정 내부와 집행관, 그리고 수익을 노리기 위해 몰려든 수많은 투자자들을 직접 맞닥뜨리면 뭔가 말로 표현할 수 없는 중압감이 밀려옵니다. 본인을 제외한 나머지 사람들은 모두 전문가일 것 같고, 입찰 서류를 받아 들고 작성하고 있으면 뒤에서 누군가 엿보고 있지는 않나 하는 생각도 듭니다. 많은 생각과 낯선 환경에 초보자는 적응하기가 좀처럼 쉽지 않습니다. 사람은 긴장을 하면 실수도 많아지게 마련입니다. 여기에 입찰 보증금을 당일 오전 법원에 위치한 은행에서 마련하면 심적으로도 더욱 위축될 수밖에 없습니다.

저는 혹시 저지를지 모를 실수에 대비, 입찰 전에 회사 점심시간을 활용해 미리 은행에 가서 입찰 보증금을 자기앞수표 한 장으로 인출한 뒤 이서를 해놓습니다. 그리고 퇴근 후에는 입찰 기일표를 인터넷에서 다운로드 받아 출력해 입찰가를 제외한 나머지 항목들을 미리 작성해 놓습니다. 그리고 주말 동안 여유 있게 충분히 생각한 후 자기 전에 입찰가를 선정하여 작성합니다. 입찰 당일 경매법정에서 제가 하는 일은 봉투에 전날 미리 작성한 서류와 보증금을 담아 제출하는 것뿐이라 실수가 발생할 수 없습니다. 이 방법은 제가 지금까지도 사용하는 방법으로, 긴장을 할 수밖에 없는 경매 입문자들에게 추천합니다.

그리고 처음 입찰하는 지역의 법원을 방문한다면 입찰 봉투를 몇 장 여유 있게 챙겨 올 것을 권합니다. 추후 같은 지역 입찰 시 봉투까지 집에서 미리 작성할 수 있어 실수를 한층 줄이는 효과가 있습니다. 참고로 저는 전국의 입찰 봉투를 모으는 소소한 취미를 가지고 있습니다.

점유자와의 밀당을 통해 명도전쟁에서 승리

수십 번의 패찰을 거듭한 끝에 어렵게 낙찰에 성공했다고 해도 기쁨은 잠시뿐입니다. 낙찰은 끝이 아니라 본격적으로 '경매를 시작할 수 있는 자격을 갖추었다'라는 정도로만 받아들이는 것이 좋습니다. '경매의 꽃은 명도'라는 말이 있듯이, 일반인들은 낙찰 받은 물건에 거주중인 점유자를 내보내는 명도에 많은 부담감을 느낍니다. 실제로 경매 입문자 중 점유자의 명도저항에 끌려다니다 지쳐 경매시장을 떠나는 사람들도 있습니다.

저의 명도 원칙은 '적에게 나를 드러내지 말라'입니다. 사람은 눈에 보이지 않는 것에 두려움을 가지게 마련입니다. 이 점을 적극 활용해야 합니다. 우리는 직장인이기 때문에 늘 시간이 부족하고, 현재 부자가 아니기 때문에 투자에 나서는 것입니다. 결론부터 말하자면 우리는 직장인이기에 소중한 주말을 할애해 점유자를 만날 필요가 없습니다. 내 아이에게 사줘도 부족한 간식거리를 점유자의 자녀를 위해 없는 돈 써가며 사 들고 찾아가 점유자의 신세 한탄 스토리에 공감해줄 필요는 더더욱 없습니다. 한마디로 낙찰자는 점유자를 만나서 얻을 것이 전혀 없습니다.

대체로 점유자들은 사업을 하다가 사정이 어려워져서 경매를 당한 사람입니다. 영업맨이 아닌 저같이 '맑고 순수한' 영혼을 소유한 일반 관리직들이 평생 사업이나 장사를 하며 단련된 점유자를 말로 이길 확률이 과연 얼마나 될까요?

한번 깊이 생각해보시기 바랍니다. 그들은 생계를 걸고 그간 경매 과정에서 그들보다 한 수 위인 무수히 많은 채권자들의 엄청난 독촉을 겪은 사람들입니다. 더 이상 잃을 것이 없는 사람을 자신이 과연 당해낼 수 있을지 고민해야 합니다. 이런 이유로 저는 멘토분이 추천한 '문자 명도'라는 방법을 사용합니다.

듣고 싶은 말만 들을 수 있게 해야

낙찰 당일 물건지 관리사무소에 들러 점유자 전화번호를 물어보면 대개 개인정보 보호를 이유로 알려주지 않습니다. 그러면 제 연락처를 알려주고 체납 관리비 정산 협의를 해야 하니 점유자에게 전달해달라고 하면 관리사무소에서도 협조를 해줍니다. 이렇게 하면 며칠 내에 점유자로부터 연락이 오는데 저는 절대 받지 않습니다. 왜냐하면 앞서 이야기했듯이 저는 그들을 말로는 절대 이길 수 없기 때문입니다. 그들의 신세한탄을 들어주다 보면 그 시간만큼 회사 업무를 하지 못하기 때문에 야근을 해야 할 수도 있습니다. 보기에는 단순하지만 이 과정을 통해 우리는 점유자의 연락처를 손쉽게 얻어낼 뿐만 아니라 관리사무소에서 체납 관리비 상세 내역까지 알아내는 일석이조의 효과를 거두게 됩니다.

퇴근 후에는 강제집행을 무기로 언제까지 집을 비워달라는 내용과 함께 업무 특성상 나는 문자 연락만 가능하니 전화하지 말아달라는 내용증명을 작성합니다. 우리는 부자가 아니기 때문에 한 푼이라도 아끼려면 작성한 내용증명을 캡처해 이미지 파일로 만든 후 문자로 보내면 됩니다. 그러면 문자로 보내라는 저의 말을 무시한 채 점유자는 전화를 걸어올 것입니다. 안 받으면 당연히 또 전화를 걸어올 것입니다.

이런 과정이 몇 번 반복되다 보면 점유자가 제 풀에 지쳐서 문자를 보내올 겁니다. 문자 내용은 보지 않아도 뻔합니다.

"그날까지 비우긴 힘듭니다."

제가 듣고 싶은 말이 아니기 때문에 답장을 바로 해줄 필요는 없습니다. 쉽게 설명하자면 연애 시절 지금의 배우자와 했던 밀당의 원리를 명도에 적용해 서서히 점유자를 나만의 패턴에 적응시키는 것입니다. 이런 밀당 과정이 끝나면 구체적인 이사 날짜가 정해집니다. 그러면 이번에는 점유자에게 "당신이 이사 가는 것을 나에게 증명해야 하지 않겠느냐"며 이사 갈 집의 계약서나 이삿짐센터와의 계약서를 사진으로 찍어서 문자로 언제까지 보내라고 합니다.

이 경우 회신하지 않는 점유자가 절반 정도는 됩니다. 회신이 없으면 해당 지역의 만 원 대 저렴한 심부름센터에 연락해 밤 10시쯤 '이사 갈 집 계약서나 이삿짐센터 계약서를 사진 찍어 문자로 오늘까지 보내시오. _ 낙찰자'라고 적은 메모지를 집 현관에 붙여달라고 합니다. 다음 날 출근길에 점유자는 전날 퇴근할 때 없었던 메모를 발견하게 되고, 이를 통해 수면 위로 드러나지 않는 낙찰자에게 상당한 심리적 압박감을 느끼게 됩니다. 이런 밀당 과정을 반복하다 보면 명도 당일에는 거친 점유자가 아닌 언제나 다소곳하게 문자로만 연락하는 온화한 점유자를 발견하게 됩니다.

명도일에는 셀프 페인트칠

직장인이 원거리의 지방 물건지에 간다는 것은 금전적, 시간적으로 상당한 부담입니다. 따라서 되도록 한 번 갔을 때 많은 일을 처리하고 돌아와야 합니다. 대체로 경매로 낙찰 받은 집은 상태가 좋지 못한 경우가 많기에 추후 빠른 임대계약을 이끌어내기 위해서라도 리모델링은 어느 정도 하는 것이 좋습니다. 아울러 제가 생각하는 경매의 최대 매력인 '빈집 상태에서 집의 가치를 끌어올리는 인테리어를 마음 편히 할 수 있는 기회'가 두 번 다시 찾아오지 않으니 이를 십분 활용할 필요가 있습니다.

대체로 토털 인테리어 업체에 리모델링 전체 공정을 맡기면 편하기는 하지만 공사비용이 높아집니다. 그러므로 되도록이면 타일, 싱크대, 도배 · 장판을 각각의 업체에 따로 맡기는 것이 좋습니다. 그 과정에서 공정 순서를 파악하고 각 업체별로 일정을 조율하는 것은 낙찰자의 몫입니다.

저는 화장실은 월~수요일, 도배와 장판은 목요일, 싱크대는 금요일, 마지막 입주 청소는 토요일에 진행하는 일주일 일정을 세워 업체에 공사를 요청합니다. 부자가 아니기 때문에 리모델링 시 자신이 할 수 있는 공정이 있다면 직접 셀프 인테리어를 하는 것도 추천합니다. 저는 자동차공학, 기계공학을 전공했기 때문에 전문가는 아니지만 소음이 발생하지 않는 전기 관련 공사(배선 작업, 스위치 및 콘센트 교체, LED 전등 교체 등)는 싱크대 공사가 끝나는 금요일 저녁, 퇴근 후에 직접 밤샘 작업을 합니다.

그리고 다음 날인 토요일 입주 청소가 진행되는 동안에는 타고 간 자동차나 근처의 숙박업소에서 잠을 청하곤 합니다. 자고 일어나 물건지를 다시 방문해 청소 상태를 점검하고, 일주일간 진행된 공사 잔금을 송금한 뒤 중개업소에 물건을 내놓습니다. 마지막 남은 일요일은 월요일 출근을 위해 대체로 가족과 함께 휴식을 취합니다.

다시 명도일로 거슬러 올라가보면, 점유자들도 대부분 직장을 다니기 때문에 대체로 토요일에 이사를 갑니다. 이 경우 점유자가 이사를 나가는 명도일 전에 준비할 사항이 몇 가지 있습니다. 우선 리모델링을 위해 1~2주 전에 각 공정별 업체에서 견적을 받고, 명도일에 실측을 위해 방문해달라고 요청합니다. 화장실 업체는 오후 1시, 도배 · 장판 업체는 2시, 싱크대 업체는 3시로 요청을 합니다.

점유자가 이사를 나가는 10~11시 이후부터 리모델링 업체가 도착하기 전까지 미리 구입한 페인트를 직접 칠합니다. 어차피 도배 · 장판도 새로 할 것이고, 화장실 업체에 베란다와 현관 바닥 타일 공사도 맡기는 편이기 때문에 마스킹(페인트칠을 위한 준비 작업)을 할 필요가 없습니다. 이처럼 마스킹 시간이 필요 없어 비전문가도 하루면 충분히 베란다 벽과 천장, 방문, 문틀을 비롯해 천장 몰딩도 칠할 수 있습니다.

전기공사도 혼자서

페인트칠을 하면서 콘센트와 스위치, LED 전등과 같이 다음 금요일에 와서 진행할 전기 작업에 필요한 부품의 개수를 파악합니다. 그리고 언제나 그렇듯이 일요일은 월요일 출근을 위해 가족과 함께 즐거운 시간을 보냅니다.

가정용 전기는 플러스 마이너스 극성이 없고, 차단기를 내린 상태에서 작업하기 때문에 부담을 가질 필요가 없습니다. 비록 전문 지식이 없더라도 유튜브나 블로그 등에 방법이 상세히 설명되어 있으니 비용 절감을 위해 도전해보는 것도 괜찮습니다.

명도일과 공사 마지막 날에는 확인을 위해 물건지를 방문해야 합니다. 어차피 방문해야 한다면 명도일에는 페인트칠을, 공사 마지막 날에는 전기공사를 직접 진행한다면 20평형대 기준으로 50~100만 원가량 절감하는 효과가 있으니 참고하시기 바랍니다.

전기공사 팁 몇 가지를 소개하자면 콘센트에 꽂아서 사용하는 LED 작업등을 하나 구매하시기 바랍니다. 2~3만 원 정도면 쉽게 구할 수 있는 LED 작업등은 야간 LED 전등 교체 시 매우 요긴합니다. 차단기를 잘 살펴보면 콘센트와 전등의 전기를 개별적으로 차단시킬 수 있습니다.

일단 작업등을 콘센트에 꽂고, 차단기의 전등 쪽 스위치만 내리면 전등에는 전기가 차단되어 전등 교체 시 위험하지 않습니다. 반면 콘센트에는 전기가 흐르기 때문에 작업등을 사용할 수 있어 야간 작업이 가능해집니다. 전등을 모두 교체했다면 반대로 교체한 전등을 켠 후 콘센트 쪽 차단기만 내린 상태에서 안전하게 새 콘센트로 교체 작업을 진행합니다.

참고로 집 전체의 전등이나 콘센트를 모두 교체한 상태에서 차단기 스위치를 한번에 켰을 때 원인 모를 이유로 차단기 스위치가 내려간다면 작업 중 실수로 누전이 발생했을 확률이 높습니다. 이 경우 작업한 전등, 콘센트, 스위치 중 어디에서 누전이 발생하는지 전문가가 아니면 찾기가 매우 어렵습니다.

이런 사태를 방지하기 위해 부품 하나만 교체한 뒤 차단기를 확인하고 다른 부품을 교체하는 작업을 반복적으로 진행하는 것이 누전 발생 시 원인을 바로 확인하는 데 도움이 됩니다. 마지막으로 스위치 교체 시 1,000원짜리 투명 아크릴 판을 함께 장착하면 새로 도배한 벽지가 더러워지는 것을 막을 수 있고, 시각적으로도 고급스러워 보이는 장점이 있습니다.

문자 명도에 이어 문자 매물 등록

우리는 낯설고 두렵기만 한 경매시장에서 입찰을 하기 위해 수개월간 열심히 공부했습니다. 입찰가 선정을 위해 무수히 많은 자료를 수집, 분석했고 낙찰 직후부터는 점유자와 끝없는 밀당을 이어나갔습니다. 인테리어 단계에서는 무수히 많은 사람들과 만나 견적 협의 등을 하면서 자신도 모르게 이익을 위한 협상을 진행합니다.

이런 피나는 노력 끝에 얻은 경매 과정의 최종 결과물인 '샤방샤방'한 내 집! 그 집에 첫발을 내딛는 순간 온몸에 전해지는 감동은 직접 경험해보지 않으면 상상조차 하기 힘듭니다. 이제 수확의 결실을 맺기 위한 마지막 관문, 즉 중개업소를 통한 임대물건 등록만이 남아 있습니다. 저는 이 과정도 명도와 같이 문자로 진행합니다.

매물 등록에 앞서 한번 발을 들여놓으면 계약을 안 하고는 못 배길 정도의 모델하우스 뺨치는 예쁜 집으로 탈바꿈시키기 위한 준비 과정을 거칩니다. 여심을 자극하는 향기를 지닌 예쁜 디퓨저를 싱크대 상판에 놓고, 현관에는 실내화를 배치합니다. 실내화 앞쪽에는 입주 청소가 완료됐다는 사실을 알리는 스탠드형 거치대를 배치합니다.

조명은 가장 환하게 켜놓은 상태에서 싱크대, 화장실, 방, 거실, 현관 사진을 찍습니다. 그리고 PPT 한 장에 사진들을 예쁘게 배치하고 아파트명, 동 · 호수, 대출 내역(근저당 금액), 희망 임대 보증금과 월세, 그리고 저의 연락처를 적습니다. 이렇게 PPT로 만든 전단을 이미지 파일로 변환한 뒤 물건지 주변 중개업소 20~30곳에 문자로 보냅니다. 상권 분석과 비슷한 수준에서 지역 주민들의 예상 동선을 파악해 물건지와는 조금 떨어져 있지만 사람들이 많이 몰리는 지역 최고 입지에 위치한 중개업소에도 추가로 문자를 보냅니다.

대체로 '감사합니다', '알겠습니다' 등의 답장이 오지만 드물게 '임대가가 너무 비쌉니다', '이 가격에는 힘듭니다'라며 태클을 걸어오는 중개업소도 있습니다. 이럴 때는 명도와 마찬가지로 제가 듣고 싶은 대답이 아니기 때문에 대꾸할 필요가 없습니다. 동네에 수두룩한 게 중개업소입니다. 태클 거는 곳 하나 건너뛴다고 임대가 안 나가는 것은 아니니 신경 쓸 필요가 없습니다. 거기에 대응할 시간이 있으면 다른 중개업소를 찾아 물건을 등록하는 편이 낫습니다.

지방도 사람 사는 곳이다

아직 아이도 어리고 둘째도 생각하고 있어 현금 흐름을 만드는 것이 무엇보다 중요했습니다. 그리고 만약을 대비해 리스크가 적고 환금성이 우수한 부동산을 찾다 보니 입지가 우수한 지역의 꼬마 아파트를 투자 대상으로 선정하게 됐습니다. 또한 투자금이 많지 않기 때문에 낙찰가가 낮아야 하고, 레버리지를 적극적으로 활용해야 하기 때문에 규제로부터 그나마 자유로운 지방으로 내려갔습니다.

아직 투자를 해보지 않은 분이라면 서울에 있는 똘똘한 한 채를 떠올리며 지방은 기피할 수도 있습니다. 하지만 경험해보니 지방도 사람 사는 곳이고, 오를 곳은 오르며, 수익률 또한 훌륭합니다. 이러한 이유로 앞으로도 저는 상대적으로 금액대가 가벼워 예상치 못한 변수에도 충분한 대응이 가능한 지방 꼬마 아파트에 계속 투자할 생각입니다. 비록 한 채당 대출 이자를 제하고 나면 10~20만 원 정도의 적은 수입이지만, 지치지 않고 꾸준히 즐기는 투자를 하다 보면 언젠가는 제가 설정한 경제적 목표에 도달하는 그날이 올 거라 확신합니다.

저의 멘토는 "투자는 단순하다"라고 말씀하십니다. 저도 같은 생각으로 모든 것은 재미가 있어야 합니다. 고통스럽고 힘들어서는 절대로 오래 버티지 못합니다.

투자는 꾸준히! 조급하면 안 되니까요!

하늘 위를 거닌 서울 아파트

2018년 우리나라 부동산 시장은 그야말로 뜨거웠습니다. 특히 서울 지역의 주거시설, 그중에서도 아파트의 인기는 뜨겁다 못해 하늘 높은 줄 모른다는 말이 나올 정도였습니다. 물론 9·13 대책이 발표되고 나서 식기는 했지만 2018년이 특징적인 한 해였다는 사실에는 변함이 없습니다. 이렇듯 2018년에 각광을 받은 서울 지역 아파트의 인기는 경매시장에서도 그대로 확인됩니다.

2018년 서울 지역 주거시설 전체의 낙찰가율(감정가 대비 낙찰가 비율)은 1년 내내 90퍼센트 밑으로 떨어진 적이 없으며 8월과 9월에는 100퍼센트를 넘기도 했습니다. 저렴하게 구입하는 게 경매의 최대 매력인데 감정가보다 비싸게 낙찰을 받은 사람이 한둘이 아니었다는 뜻입니다.

구분	낙찰가율	구분	낙찰가율
2018년 1월	103.2%	2018년 7월	103.3%
2018년 2월	102.3%	2018년 8월	106.7%
2018년 3월	103.4%	2018년 9월	110%
2018년 4월	104.2%	2018년 10월	104%
2018년 5월	107.1%	2018년 11월	112.1%
2018년 6월	103.6%	2018년 12월	102.5%

대상을 주거시설 전체가 아니라 아파트로만 한정하면 낙찰가율이 그야말로 고공행진을 했다는 점을 알 수 있습니다. 위에서 보는 것처럼 매월 감정가보다 높게 낙찰됐으며, 9월과 11월에는 110퍼센트도 넘었습니다. 2016년에는 1번, 2017년에는 4번만 월별 낙찰가율이 100퍼센트를 넘었다는 점을 감안하면 2018년 경매시장에서 서울 아파트의 인기가 어느 정도였는지를 여실히 알 수 있습니다.

개별 낙찰 사례는 조금 더 많은 얘기를 들려줍니다. 2018년 1월 22일 입찰이 진행된 송파구 신천동 장미아파트에는 무려 74명이 참여했습니다. 낙찰가율은 165퍼센트. 이외에도 2018년 한 해에 경쟁률이 20대 1을 넘은 서울 지역 아파트 경매물건은 총 37건에 달합니다. 만약 9·13 대책이 나오지 않았다면 50건은 거뜬히 넘겼을 것입니다.

별별 실패사례 2

경매개시결정 이후 임차권 등기한 임차인의 보증금 인수

사건개요

- 사건번호 : 2015타경 15961[11](수원 5계)
- 감정가 : 4,900만 원
- 키워드 : 임차권등기명령, 보증금, 경매개시결정일

이슈

대항력과 확정일자에 의한 우선변제권을 갖춘 임차인이 임차권등기명령에 의해 임차권등기를 한 경우, 당연 배당권자로서 별도의 배당요구신청을 하지 않아도 우선변제 받을 수 있습니다. 다만 임차권등기는 경매개시결정 이전에 해야 하고, 그 이후에 하면 별도의 배당요구가 있어야만 우선변제 받을 수 있습니다.

이 사건 임차인도 대항력 있는 우선변제권자로서 임차권등기(2015년 10월 6일)는 했지만 경매개시결정일(2015년 4월 20일) 이후에 했고, 별도의 배당요구신청은 하지 않았습니다. 즉 임차인은 우선변제 받을 수 없기 때문에 그 보증금 3,500만 원은 매수인이 인수해야 합니다. 이를 간과하고 2회 유찰된 후에 매각가율 73.7퍼센트(3,610만 원)에 낙찰 받았다가 대금을 납부하지 못하고 입찰 보증금 240여만 원을 포기한 사건입니다. 그 이후 2회 더 유찰(총 4회 유찰)된 후에 최종 감정가 대비 31.2퍼센트에 낙찰되어 종결됐습니다.

시사점

대항력 있는 임차인이 임차권등기명령에 의해 임차권등기를 한 경우, 확정일자를 언제 받았는지 확인해야 합니다. 특히 임차권등기일자가 경매개시결정일 전인지, 후인지, 그리고 배당요구신청을 했는지도 반드시 확인해야 합니다.

맹지 여부
분묘 여부
개발허가 가능성

04

이혼 경고도 무시한 간 큰 남편

도전사례 단감농장 낙찰은 고속버스를 타고

이혼 경고도 무시한 간 큰 남편

장수강

얼마 전 방송을 통해 과학적으로 입증된 '운칠기삼'의 원리가 경매에도 적용된다고 생각하는 33년 경력의 경매투자자. 경매 입문 후 15년간 돈을 까먹기만 하면서도 경매 공부에 매진한 못 말리는 노력파이자 경매를 통해 골프 특기생인 딸을 뒷바라지할 수 있어 행복했다는 딸 바보이기도 하다. 지금은 주로 임야에 투자하면서 경매 계속하면 이혼하겠다고 경고했던 아내와의 멋진 전원생활을 꿈꾸고 있다.

될 운을 가진 사람은 이길 수 없다

저는 경매와 관련하여 다른 이들과 조금 다른 견해를 지니고 있습니다. 입찰 당일 누구에게나 운이 존재하며, 그날 될 운을 가진 사람은 아무도 이길 수 없다는 것입니다. 물론 그렇다고 경매가 100퍼센트 운이라고 강조하는 것은 아닙니다. 노력하고, 진심으로 다가가는 사람에게 운도 따라준다는 얘기입니다. 제가 이런 생각을 갖게 된 한 편의 소설 같은 경험을 먼저 들려드리고자 합니다.

2010년 4월 19일 의정부지방법원 경매법정은 경매에 참가하려는 사람들로 인산인해였습니다. 제가 입찰한 물건은 남양주에 위치한 임야(2009타경 38547)였습니다. 저와 57명의 공동입찰 대리인, 단 두 명만 입찰에 참가했습니다.

저는 최저가보다 약 1,800만 원을 더 써서 잘하면 될 수도 있겠다는 느낌으로 발표를 기다렸습니다. 집행관은 대리인이 제출한 57명의 공동입찰 관련 서류를 모두 다 확인하고 있었습니다. 이로 인해 시간이 많이 지체되다 보니 일부에서 원성이 들리기 시작했지만 집행관은 아랑곳하지 않고 계속해서 꼼꼼히 서류를 검토해나갔습니다.

시간이 10분 이상 흐른 뒤, 마침내 집행관이 대리인에게 "공동입찰자 목록에 찍힌 '아들 자'와 인감증명서상의 '아들 자'가 다릅니다. 목록에 찍힌 도장의 글자는 획이 내려간 것으로 끝나는데 인감증명서의 도장은 끝이 올라가 있습니다. 지금 인감증명서의 도장으로 이 자리에서 보정하면 인정하겠습니다"라고 말했습니다. 아주 미세한 차이였지만 인감증명서와 다른 도장이 찍혀 있는 것을 집행관이 발견한 것입니다.

이 말을 들은 대리응찰자는 무척 당황해하며 어쩔 줄 몰라 했습니다. 인감증명서를 냈으니까 나중에 보정하겠다며 애걸했지만 집행관의 태도는 단호했습니다. '집행관 대단하다. 어떻게 보일까 말까 한 획 하나를 발견했을까'라는 생각을 하고 있던 순간, 상대방은 사정하다 안 되니 나중에는 큰 소리로 핏대를 올리며 소란까지 피웠습니다.

이에 집행관은 "더 이상 소란을 피우면 법대로 처리합니다. 이의가 있으면 여기는 법원이니 법원에 소를 제기하십시오. 이 입찰은 무효 처리합니다"라고 하면서 차순위로 공동 입찰한 우리 부부를 최고가 매수신고인으로 결정했습니다. 그날 1등과 우리 부부의 입찰가 차액은 3,500만 원이었습니다. 집행관은 우리 부부를 향해 미소를 지으며 "오늘 큰돈 버셨습니다" 하더군요. '세상에 이런 일도 있구나'라는 생각을 했습니다.

또 하나는 추후 설명드릴 낙찰 사례의 에피소드입니다. 당시 이 물건의 저당권자인 모 영농조합의 이사가 입찰을 위해 법원으로 오던 도중 교통사고를 당하는 바람에 제가 낙찰을 받았습니다. 나중에 들은 얘기지만 그 임원은 자신이 입찰하려던 물건이 최저가에 가까운 가격으로 다른 사람에게 낙찰됐다는 소식을 병원에서 듣고, 너무나 안타까운 나머지 일주일 동안 식사를 제대로 못 했다고 합니다. 이 정도면 경매에서의 운칠기삼이 괜한 얘기는 아닌 듯하지 않은가요?

아내의 경고도 못 말린 경매 중독

올해(2019년) 제 나이는 68세로 인생의 절반인 34년은 경매로 보냈습니다. 34년간의 경매 인생 동안 처음부터 운이 좋았던 것은 아닙니다. 오히려 경매를 시작한 후 15년 동안은 돈 한 푼 못 벌고 까먹기만 할 정도로 지독히도 운이 없는 편에 속했습니다.

경매에 첫 입문하던 당시는 법원의 법대 앞에 나와서 호가로 낙찰자를 결정하던 시절이었습니다. 큰딸이 한 살이던 무렵, 부천 소재의 2층짜리 단독주택을 단독 응찰해 낙찰 받았습니다. 낙찰가는 5,000만 원, 입찰 보증금으로 500만 원을 납부했지만 나중에 선순위 세입자가 있어 보증금을 물어줘야 한다는 말을 듣고 입찰 보증금을 포기할 수밖에 없었습니다. 이렇게 저의 경매 인생은 시작됐습니다.

그 사건 이후 한마디로 저의 모든 것이 바뀌었습니다. 혼자서 경매 공부에 매진했지만 정보가 전무했던 터라, 시작하고 나서도 15년간은 돈을 벌기는커녕 당시 커피숍을 운영하며 벌어들인 많은 돈을 날렸습니다. 사정이 이렇다 보니 집으로 배달되는 계약경제일보(현 지지옥션 경매정보지)를 집사람이 숨겼습니다. 집사람은 어머니와 동생에게 제발 경매를 못 하게 막아달라며 계속하면 이혼하겠다고 경고까지 했을 정도입니다.

하지만 제 귀에는 그 경고가 들리지 않았습니다. 이곳에 돈이 있고, 나중에는 이 분야가 꼭 뜰 것이라는 이상한 확신이 들었기 때문입니다. 저에게는 경매가 인생의 전부였습니다. 계약경제일보만 오면 좋은 물건을 찾아 현장에 가서 확인하고, 관련된 판례를 공부하면서 경매에 대해 알아가는 것이 정말 재미있었습니다. 마치 마약중독자처럼 경매에 미쳐 있었던 셈입니다.

인생사 새옹지마

15년간 손해 보며 치렀던 비싼 수업료가 헛되지 않았는지, 어려서부터 골프를 했던 큰딸을 경매 덕분에 뒷바라지해줄 수 있었습니다. 프로 골퍼가 된 큰딸이 명문대 골프 특기생 1기로 입학하는 기쁨도 누렸습니다. 저를 브로커라고 했던 동생도 저를 통해 경매로 부동산을 구입해 큰 혜택을 누렸습니다.

제 친구들은 공짜 지하철 타기, 등산하기로 소일하고 있습니다. 그나마 운이 좋아 아파트 경비원을 하고 있는 친구도, 젊었을 때 지점장까지 하며 잘나갔던 은행원 친구도 정년 없이 1년에 1~2번 경매만으로 남부럽지 않은 수익을 내는 저를 부러워하고 있습니다.

저는 부모님에게 땅 한 평도 물려받지 못했지만 경매를 통해 자식에게 물려줄 수 있는 부동산을 가지게 되었습니다. 골프를 하던 제 딸도 진로를 바꿔서 경매에 매진하여 아빠처럼 되고 싶다고 해서 오랜 시간 습득한 경매 노하우를 전수하고 있습니다. 참으로 아이러니한 일 아닌가요?

단감농장 낙찰은 고속버스를 타고

진주 1계

2004 타경 1898[1] **임야**

소재지	경남 사천시 정동면 감곡리 산115 도로명주소				
경매구분	임의경매	채권자	농OOOO		
용도	임야	채무/소유자	최OO/엄OO	매각기일	05.01.03 (168,220,000원)
감정가	**262,423,200**	청구액	30,003,767	종국결과	05.07.04 배당종결
최저가	**167,952,000** (64%)	토지면적	146,083.0 m² (44,190.1평)	경매개시일	04.02.03
입찰보증금	10%~30% (확인요망)	건물면적	0.0 m² (0.0평)	배당종기일	04.05.19
주의사항	· 맹지				
조회수	· 금일조회 **2** (0) · 금회차공고후조회 **17** (11) · 누적조회 **214** (11) · 7일내 3일이상 열람자 **0** · 14일내 6일이상 열람자 **0**				( )는 5분이상 열람 조회통계 (기준일-2005.04.18 / 전국연회원전용)

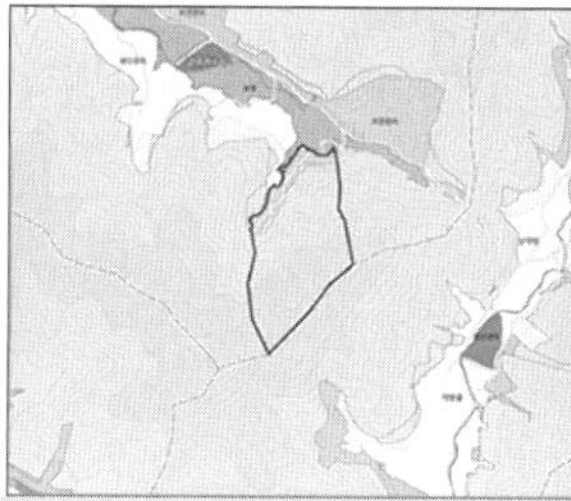

형님의 간절한 부탁

2005년 1월 3일 창원지방법원 진주지원 입찰장에 도착한 저는 20명이 채 안 되는 인원에 적잖이 놀랐습니다. 아마도 이틀 전이 양력설이었던 점이 큰 영향을 미쳤던 것 같습니다. 입찰 하루 전인 2일 오후 2시쯤 진주에 도착해 현장조사를 하고 일찌감치 숙소를 정한 뒤, 편안

한 마음으로 처음 방문한 진주 시내를 구경했습니다. '참 깨끗한 도시구나'라는 느낌이 들었습니다.

2004년 12월 말 형님이 입찰하려는 이 물건을 두고 했던 말이 생각났습니다. "난 이 농장이 꼭 갖고 싶어. 나중에 정년퇴직하고 농장을 하고 싶거든. 근처에 친구도 있고." 이에 저는 "그렇게 갖고 싶다면 지난번 최저가 이상으로 써야 합니다"라고 했고, 그러자 형님은 "그러면 지난번 최저가가 2억 993만 9,000원이니까 2억 3,000만 원으로 입찰해 줘"라고 부탁했습니다. 낙찰되기를 간절히 바라던 형님의 모습이 진주에 있는 동안 계속 떠올랐습니다.

하지만 입찰 당일 현장에 모인 사람들이 매우 적은 것을 보니 굳이 큰 모험을 할 필요가 없겠다는 판단이 들었습니다. 그래서 고민 끝에 형님의 간절한 부탁 대신 저의 판단을 믿기로 하고 최저가보다 26만 8,000원 높은 금액으로 입찰했습니다. 입찰 마감시간까지 가슴이 두근거리고 별의별 생각이 다 났지만 입찰가를 낮춘 것은 잘한 일이라 스스로를 위로하며 결과를 기다렸습니다.

드디어 입찰 발표. 집행관은 진주 1계 2004타경 1898 물건번호 1번은 단독 응찰이라며 저의 낙찰 사실을 확인시켜줬습니다. 형님의 간곡한 소망을 들어줄 수 있게 됐다는 생각에 그 기쁨은 말로 표현할 수 없었습니다.

그런데 이게 웬일입니까. 집행관이 입찰 서류를 자세히 검토하더니 형님의 인감증명서가 3년이 넘었다며 최신 인감증명서로 다시 달라는 것이었습니다. 당연히 저는 형님의 최신 인감증명서를 가지고 있지 않았습니다. 오늘 중으로 보정하겠다고 사정하자 집행관은 그날 오후 5시까지 해당 경매계로 보정 제출하라고 하더군요.

즉시 형님에게 전화해 지금 당장 인감증명서를 발급받아 고속터미널로 가서 진주행 고속버스 운전사에게 부탁한 뒤 차량 번호를 알려달라고 했습니다. 서울에서 진주까지 고속버스로 3시간 30분 정도 소요되니 시간은 촉박했지만 가능한 일이었습니다. 다행히 오후 4시 30분에 해당 경매계에 새로 발급한 인감증명서를 무사히 제출하고 진주지원을 나왔습니다. 참으로 숨 가쁜 하루였습니다.

싸게 산 두 가지 이유

2005년 1월 31일 진주지원에 낙찰대금, 사천시청에 세금과 각종 등기 말소비용 등을 납부한 후 다시 진주지원 민원실로 와서 매각에 의한 소유권이전등기 촉탁신청서를 제출했습니다. 제가 농장인 이 물건을 경매로 저렴하게 구입할 수 있었던 이유는 크게 두 가지입니다.

첫 번째는 토지 위에 '제시 외 건물'이 존재해 법원의 매각물건명세서상에 '법정지상권 성립 여지 있음'이라는 특수매각조건이 고지되어 있었다는 점입니다. 두 번째는 입찰일이 신정 연휴 직후여서 경매에 대한 관심이 적었습니다.

소유권 이전에 필요한 모든 절차를 마치고 며칠 후 이른 새벽에 집을 나섰습니다. 새벽에 출발해야 농장이 위치한 경남 사천에서 하루 안에 모든 일을 볼 수 있기 때문입니다. 4만 평이 넘는 단감농장 여기저기를 살펴보면서 앞으로 어떻게 해야 할지를 곰곰이 생각했습니다.

우선 같이 낙찰 받은 제시 외 건물은 전 소유자의 짐으로 가득 차 있어 안을 볼 수도 없었고, 문 옆에 있는 반쯤 부서진 우편함은 여러 장의 고지서와 독촉장 그리고 법원에서 보낸 서류들로 빼곡했습니다. 통상 경매로 낙찰 받은 건물 대부분은 오랫동안 요금을 납부하지 못해 전기가 끊긴 경우가 많습니다.

부동산 소유자는 자신의 소중한 재산이 경매로 넘어가는 것을 막기 위해 혼신의 노력을 기울입니다. 자신의 힘으로 안 되면 부모, 형제, 친구, 지인들의 도움까지 받지만 결국 그마저도 한계에 부딪혀 경매로 넘어가게 되고, 이로 인해 소유했던 부동산은 전기, 수도 등이 끊기고 관리가 되질 않아 매우 지저분하고 악취가 난다는 공통점이 있습니다.

하루라도 빨리 골칫거리인 제시 외 건물과 농장 운영에 필요한 시설 처리 문제를 전 소유주와 해결하고 농장을 경영할 사람을 찾아야겠다고 생각했습니다. 농장 입구 적당한 곳을 골라 A4 용지에 제 연락처를 적어 붙였습니다. 그리고 주민들이 많이 모이는 마을회관에 들러 단감농장 운영하실 분을 구한다는 말을 만나는 사람마다 했습니다.

나만의 Tip

저는 다음과 같은 기준으로 입찰할 물건을 선정합니다.

우선 감정가가 낮은 물건 중 규제나 제재를 해결할 수 있는 물건입니다. 예를 들면 본 사례의 임야처럼 맹지로 인해 관심이 상대적으로 낮은 물건입니다.

두 번째로는 감정가가 시세보다 많이 낮은 물건입니다. 감정 후 경매에 나오기까지 통상 4~5개월, 길면 1년이 지나서 나오는 경우도 있어 감정 당시의 시세와 경매진행 시의 시세 차이가 클 수 있습니다. 감정평가사가 잘못 감정한 것으로 판단된 물건도 포함됩니다.

세 번째는 유치권, 법정지상권으로 인해 유찰이 많이 된 물건 중 문제 해결에 큰 걸림돌이 없다고 확신하는 물건이고, 마지막으로는 지분으로 나온 물건입니다. 상속, 증여 등 여러 가지 이유로 지분만 나온 물건을 조사해 원만히 해결할 수 있다고 생각되면 입찰에 참여합니다. 특히 상속으로 취득했으나 지분이 경매로 나온 물건은 본인이 힘들게 벌어서 구입한 부동산이 아니기 때문에 애착이 별로 없어 해결하기가 용이합니다.

알고 계신가요? '특수권리 분석' 서비스

경매란 '매듭 풀기' 게임과 같습니다. 경매는 일반적인 매매와 달리 권리관계가 복잡해 낙찰자가 인수하거나 인수할 수도 있는 특수권리가 존재합니다. 지지옥션 법무팀은 경매와 관련된 특수권리를 총 15개로 세분한 뒤, 현재까지 총 5만여 건에 달하는 특수권리 물건을 직접 수작업으로 심층 분석해 제공하고 있습니다. 특히 임야, 전, 답 등의 토지 경매는 이 사례의 '제시 외 건물'뿐만 아니라 법정지상권, 분묘기지권, 토지별도등기, 위반 건축물 등 다수의 특수권리가 복잡하게 얽혀 있는 경우가 대부분입니다.

토지 경매 물건에 입찰하고자 하는 분들은 지지옥션 홈페이지의 '특수권리 분석' 메뉴를 통해 해당 물건 또는 유사한 사례의 특수권리에 대해 지지옥션 법무팀이 명쾌하게 분석한 내용을 반드시 확인하고 입찰하시기 바랍니다.

제시 외 건물을 해결하다

사천을 다녀온 후 농장 운영에 관심 있다는 몇 사람에게 연락이 왔지만 서로 조건이 맞지 않았습니다. 그러다 그해 3월 중순경 농장 소재지인 감곡리에 오래 살아온 마을 주민 중 농장을 운영하고 싶다는 분이 있어서 형님과 같이 만났습니다. 오랜 농사로 햇볕에 그을린 얼굴색이 일단 마음에 들었고, 호탕한 웃음에 믿음이 가 그 자리에서 임대차계약서를 작성했습니다. 계약 내용은 매년 농장에서 수확한 감 생산량의 20퍼센트를 현물로 지불한다는 것이었습니다.

농장 운영자 문제를 해결하고 며칠 뒤, 전 소유자로부터 연락이 와 사천의 한 다방에서 그를 만났습니다. 그는 여러 곳에 빚을 져 도피 중인 상황으로 현재는 한 교회의 사택에서 아내와 머물고 있다고 하더군요. 저보다 대여섯 살 더 들어 보이는 외모의 그는 저에게 농장을 하게 된 계기와 자신의 철학, 그리고 묻지도 않았던 앞으로의 계획까지 쉬지 않고 늘어놓았습니다. 그렇게 오랜 시간 이야기를 하며 서로가 마음이 편해졌을 때쯤 단감농장 운영에 반드시 필요한 선별기, 컨테이너, 스프링클러, 지하수 시설 등을 1,200만 원에, 그리고 제시 외 건물은 300만 원에 인수하는 것으로 합의했습니다.

합의한 그 자리에서 인수금액 전액인 1,500만 원을 넘겨주자 그는 눈물을 흘리며 자기가 원하는 금액을 인정해줘서 고맙다고, 빨리 집을 구해 짐을 빼겠다고 약속했습니다. 이로써 단감농장에 꼭 필요한 시설과 용품, 그리고 경매에서 가장 큰 골칫거리 중 하나인 제시 외 건물까지 한꺼번에 해결했습니다.

나만의 Tip

낙찰을 받고 나면 대부분의 사람들은 법으로만 문제를 해결하려고 합니다. 저는 그 방법은 차선책이라 생각합니다. 가장 좋은 방법은 전 소유자나 점유자를 만나서 서로가 윈윈 하는 원만한 방법을 찾는 것입니다. 이를 통해 시간도 벌 수 있고, 해결 후에도 마음이 편합니다. 변호사나 법무사를 찾는 것보다 먼저 전 소유자를 만나 원만하게 해결하는 방법을 권하고 싶습니다.

오랜 시간 경매를 해온 저는 법 절차인 인도명령을 한 번도 실행에 옮긴 적이 없습니다. 인간적으로 대화를 나누면서 해결하면 명도를 당하는 사람도, 명도를 하는 저도 기쁜 마음으로 원만하게 해결할 수 있습니다. 명도를 통해 만난 많은 사람들과 현재도 서로 도움을 주며 좋은 관계로 지내고 있습니다.

준보존산지가 되면서 농장 가치 점프

낙찰 받은 후 1년이 지났을 무렵, 농장을 운영하는 분에게서 다급하게 전화가 걸려 왔습니다. 갑자기 농장에 중장비들이 몰려와 땅을 판다는 것이었습니다. 한달음에 내려가 확인해보니 전 소유자가 3년 전에 신청한 감농장 운영지원사업 대상자로 선정됐다는 것이었습니다. 농장 경영이 수월하게끔 임도를 만들어 차량이 다닐 수 있게 도로포장도 하고, 물이 빠질 수 있는 배수로도 설치해주기 위해 공사를 진행하는 것이었습니다.

전 소유자에게 고맙다는 생각이 들었습니다. 1억 원 이상이 들어가는 공사를 지자체에서 해줬던 이날을 계기로 전 · 답 · 과수원 · 임야는 국가에서 많은 지원을 해주고 있다는 사실도 알게 됐습니다. 이날 이후로 시간 날 때마다 틈틈이 해당 지자체에 들러 담당자와 농장 경영에 대해 의논하는 것이 저의 취미 아닌 취미가 되었습니다.

2011년 9월 사천에 내려갈 때 들렀던 사천시청 공원녹지과 담당자로부터 '불법개간지 등에 관한 임시특례법'이 1년 기한으로 실시 중이니 신청해보라는 연락을 받았습니다. 자세한 내용을 확인한 후 즉시 관련 서류를 구비해 산지 담당부서에 접수했습니다. 현지 확인 및 심사 결과 다행히도 적합 판정이 내려졌습니다.

그해 11월 초 지적공사에서 지적측량을 한 후 '지적현황측량성과도'를 사천시 공원녹지과 담당자에게 제출했습니다. 지목상 임야인 보존산지를 준보존산지로 바꾸는 권한은 산림청에 있고, 해당 지자체는 관련 서류를 산림청에 제출만 할 뿐입니다. 드디어 2012년 4월 보존산지 지정해제 고시인 '산림청 고시 제2012-31호'가 공표돼 보존산지인 감농장의 일부 5만 7,852제곱미터(1만 7,500평)가 준보존산지로 바뀌었습니다. 보존산지는 말 그대로 보존해야 해서 상당한 제약이 있지만 준보존산지는 그렇지 않아 다양한 개발 행위가 가능합니다. 당연히 부동산의 가치가 수직 상승합니다.

나만의 Tip

토지를 보유하고 있는 분이라면 거리가 멀어도 자주 가서 보기를 권합니다. 물론 자신의 토지에 경계측량을 하고 담을 쳐놓았다면 큰 문제가 없지만, 그러지 않은 경우 누군가 무단점유를 하거나 허가도 없이 집을 짓고 주민등록까지 하면 이를 해결하기가 쉽지 않습니다. 설상가상으로 무단점유자가 병든 노인이라면 명도 또한 용이하지 않습니다.

고물상에서 철근 몇 개 사다 새로 그물을 치고, 토지 관리자인 본인 전화번호를 적어놓고, 사진을 찍어놓기를 권합니다. 본인이 소유한 땅에 가면 '아~ 여기가 내 땅이구나' 하는 자부심과 함께 힘든 하루를 살아갈 수 있는 활력소도 생겨납니다. 자주 가서 보세요. 자신의 땅은 자신이 챙겨야 합니다.

크리스마스 선물이 된 농장 진입로

준보존산지가 된 지 1년 뒤인 2013년 4월, 농장 운영자로부터 농장 매입 의사를 밝힌 사람들이 다녀갔다는 연락을 받고 서울에서 만났습니다. 중후한 외모의 영농법인 전무라고 밝힌 분이 제시한 금액은 20억 원이었습니다. 그분은 좋은 거래가 성사되길 바란다고 했지만 제게는 실망스럽기 짝이 없는 인수 제안이었습니다. 왜냐하면 당시는 기업도시 등으로 전국에 부동산 열풍이 불어 땅값이 폭등하던 시기였기 때문입니다. 계약은 불발됐지만 현재 이 농장은 경남에서 규모가 제일 크고 도로포장 및 배수시설이 완비되어 있는 곳으로, 영농법인 전무가 제시한 금액으로만 계산해도 상당한 수익을 거둘 수 있습니다.

남의 땅을 밟고 가야 하는 맹지이긴 하나 포장된 도로가 있어 농장 운영에는 별 문제가 없었습니다. 그러나 다른 사업으로 변경하고자 할 때는 진입로인 앞 땅 소유자의 토지사용 승락서가 필요했습니다. 이에 소유자를 확인해 매입 의사를 밝혔더니 이틀 후 연락이 왔습니다.

소유자는 진주에서 부동산업을 하는 공인중개사였습니다. 그의 중개업소에서 만나 흥정을 시작했습니다. 2011년 3월에 5,000만 원에 매입한 것을 알고서 농장의 진입로에 해당하는 절반을 5,000만 원에 매입하겠다고 제안했습니다. 이에 소유자는 돈이 필요하다는 속내를 내비치며 모두 사 가라고 하더군요. 긴 협상 끝에 해당 진입로에 설정된 근저당 3,000만 원까지 인수해 총 8,000만 원에 전체를 매입하는 조건으로 계약을 체결했습니다. 매매계약이 체결된 날은 12월 23일, 크리스마스이브 전날로 지금도 생생하게 기억하고 있습니다.

수익률

낙찰가(부대비용 제외) : 210,207,000

vs. 시세(2018년 말 기준) : 5,000,000,000

양도소득세를 줄이려면

경매하는 사람들이 중요하게 생각해야 할 사항이 바로 양도소득세입니다. 대부분의 사람들이 부동산을 팔고 나서야 세무사를 찾아가 절세 방법을 물어봅니다. 하지만 이미 팔고 난 뒤라면 아무리 유명한 세무사라도 양도세를 줄일 방법은 거의 없습니다.

처음 입찰할 때부터 절세를 생각해야 합니다. 우리나라의 세법은 양도신고 시 취득한 금액보다 손해를 보면 본인이 부담하고, 이익이 나면 정해진 세율로 같이 나누자는 식입니다. 법이 그러하니 어쩔 수 없지만 합리적인 것은 아니라고 생각됩니다. 그렇기에 처음부터 양도소득세를 신경 써야 합니다.

양도소득세를 줄이기 위해서는 단독입찰보다는 부부나 가족의 공동입찰을 권합니다. 저는 아내와 공동으로 입찰합니다. 때로는 딸과 공동입찰을 하는 경우도 있습니다. 양도소득세는 개인별로 신고하기 때문에 부동산 등기를 단독으로 해서 양도하는 것과는 세금 차이가 큽니다.

또 하나는 비업무용을 업무용으로 바꿔놓으면 약 10퍼센트 정도 절세가 가능합니다. 인터넷에 비업무용을 업무용으로 바꾸는 방법이 자세히 나와 있으니 참고하시기 바랍니다. 다음으로는 보유하고 있는 부동산을 1년에 한 건만 팔 것을 권합니다. 개인 공제 250만 원도 받을 수 있는 데다 양도소득세는 한 해 동안 매도한 부동산을 전부 합산해 과세하기 때문에 여러 건을 팔면 세금이 많이 늘어납니다. 한 건만 팔면 전혀 해당되지 않습니다.

그리고 평소에 부동산의 필요경비에 해당하는 영수증을 철저히 챙겨 양도세 신고 시 공제받기 바랍니다. 이에 해당하는 것으로는 취득세 및 등록세, 등기말소 비용, 채권 구입 시 실제 사용한 금액, 한국국토정보공사의 측량비, 토목공사 비용, 보일러 구입 비용, 집수리 시 자재비와 인건비(인부의 신분증 복사 및 계좌이체 필요), 명도소송비(변호사 지급 등), 강제집행 비용 등이 있습니다.

자투리땅이라는 틈새 투자처

향후에는 수도권에 소재한 감정가가 낮은 자투리땅을 경매나 공매로 매입해 일본식 소형 목조주택을 2년 간격으로 한 채씩 지어 팔 계획입니다. 토지를 경매나 공매로 싸게 취득하면 그만큼 비용을 절감하는 효과가 있으므로 그 위에 주택을 지어 팔 때 경쟁력을 갖추게 됩니다. 또한 나대지로 파는 것보다는 주택을 지어 파는 것이 양도소득세 절감에도 매우 효과적입니다. 1주택자인 경우에는 매매가 9억 원까지는 양도소득세를 전혀 내지 않기 때문에 상당히 매력적입니다.

현금 2~3억 원을 보유한 상태에서 집을 사려는 수요자는 매우 많지만 현실적으로 이 금액에 수도권에서 마음에 드는 신축주택을 구입하기란 불가능합니다. 혹 있다 해도 쾌적한 환경이 아니거나 교통이 불편하고 학교, 관공서, 마트 등 편의시설과 먼 경우가 많습니다.

대부분의 사람들이 관심을 두지 않는 자투리땅은 수익은 적지만 실패하지 않는 틈새 투자처입니다. 경매나 공매에 자투리땅이 많이 나옵니다. 위치, 교통, 학군 좋은 곳을 골라 향후 저의 계획처럼 한번 실행해보세요. 결코 후회하지 않을 겁니다. 누군가를 밟고 올라서야 하는 치열한 경쟁시대인데 이런 알짜 투자 계획을 왜 공개하는지 궁금하지 않나요? 제 글을 읽는 분들이 관심을 가지고 투자를 실행해서 원하는 수익이 나기를 진심으로 바라기 때문입니다.

제 인생에서 가장 잘한 일은 포기하지 않고 경매에 올인한 것입니다. 남은 인생도 당연히 경매와 함께할 것입니다.

경매는 즐겨야 한다

경매를 하거나 경매로 부동산을 사는 이유는 무엇일까요? 당연히 시세보다 싸게 살 수 있기 때문 아닐까요? 경매물건을 고를 때 대부분의 사람들은 아무 문제 없이 깨끗하고 좋아 보이는 물건을 고르게 마련입니다. 아내는 제가 항상 똘똘한 것은 안 하고 마음에 들지 않는 것만 골라서 입찰한다고 불평입니다. 사실 많은 사람들이 제 아내와 똑같은 생각을 합니다.

하지만 이렇게 생각해보세요. 좋은 것은 자신뿐만 아니라 다른 사람들 눈에도 좋아 보이기 때문에 경쟁률이 높아져 낙찰가가 현 시세에 육박하게 됩니다. 경매 초보자들이 한 번씩 겪는 일 중 하나가 바로 수차례 패찰하고 나서 욱하는 심정에 높은 가격으로 낙찰 받아 후회하는 것입니다.

경매에서 성공하고 싶다면 패찰을 즐기는 넉넉한 마음을 가져야 합니다. 낙찰 받고자 하는 마음이 앞선 나머지 시세와 비슷한 가격으로 낙찰을 받으면 오히려 급매로 사는 것이 더 나은 경우가 발생하게 됩니다.

또한 일반매매는 잔금만 주면 그날로 내 것이 돼서 마음대로 할 수 있지만 경매는 잔금을 내고도 배당 완료까지 1개월 이상의 기간이 소요됩니다. 인도명령을 신청했다 해도 세입자가 막무가내로 나가지 않고 버티면 원치 않는 강제집행을 감행해야 합니다. 시간과 돈이 적잖이 소요되는 강제집행을 통해 명도를 진행하는 과정에서 많은 사람들이 '내가 경매를 왜 했을까'라며 후회를 합니다. 그러니 남들에게도 좋아 보이는 물건만 보지 말고, 문제가 있어 유찰되는 물건에도 관심을 가지면서 그 문제가 성립되는지, 해결 가능한 방안이 있는지를 확인하기 바랍니다.

경매의 또 다른 매력은 매도자가 아닌 매수자가 주도권을 갖고 있다는 것입니다. 다시 말해서 낙찰가를 본인이 산출해 구입하기 때문에 공부만 열심히 하면 백전백승입니다. 지금 경매하는 분들은 참 행복합니다. 경매 역사의 산증인인 지지옥션에서 복잡한 권리분석, 가격비교, 도시계획 관련 사항, 등기부등본, 건축물관리대장은 기본이고 최근에는 동영상 현장 탐방 서비스까지 제공하니 집에서 편하게 다 확인할 수 있으니까요.

매달 전국적으로 나오는 경매물건의 양은 어마어마합니다. 시간 날 때마다 틈틈이 이들 물건을 확인하고, 괜찮은 물건을 보면 언제쯤 응찰할지 따로 메모하는 습관이 아주 중요합니다. 경매로 실패하지 않으려면 남들보다 더 많이 알아야 하고, 직접 찾아가 철저히 조사해야 하고, 남들이 관심 갖지 않는 것을 더 꼼꼼히 챙겨야 합니다.

부동산상태
점유자
관리비
시세
福
전입세대
洞사무소

'경매꾼'이라는 자랑스러운 프로필

도전사례 1 '마용성'의 한 축인 용산의 빌라

도전사례 2 밋밋한 빌라를 핫한 셰어하우스로

도전사례 3 임차인에게 양보한 예쁜 빌라

'경매꾼'이라는 자랑스러운 프로필

윤현숙

지지옥션의 어플리케이션을 휴대폰 바탕화면에 두고 매일 연애하듯 설레는 심정으로 안부를 확인한다는 임대사업자이자 전업 경매투자자. '하이에나'라는 본인의 표현에 걸맞게 폐업 위기에 처한 카페를 인수해 랜드마크로 만든 뒤, 권리금을 받고 매매할 정도로 뛰어난 투자 수완을 지니고 있다. 특히 빌라 투자에 강점을 지니고 있으며, 현재 투기과열지구에 20여 채 정도의 빌라를 보유해 임대 중이다.

지지옥션과의 설레는 대화

오늘도 셀 수 없이 많은 사람들이 스마트폰 속 어플리케이션을 터치합니다. 저도 다르지 않습니다. 하나 차이가 있다면 가장 먼저 터치하는 것이 지지옥션의 어플리케이션이라는 점입니다. 매일 제가 안부를 확인하는 지지옥션 어플리케이션은 평소에는 심심하기만 한 일상을 전해줍니다. 그러나 어느 날은 '심쿵'한 물건을 들고 다가와 이렇게 속삭입니다. "이번에 당신이 풀어야 할 미션입니다. 열심히만 하면 저는 이번에도 당신에게 미션을 완수한 대가를 톡톡히 주겠습니다."

이쯤 되면 제가 경매와 사랑에 빠진 것 맞지요?

일찍부터 뛰어든 경매

지금은 용산구 소재의 제 사무실에서 수익률을 연구하며 경매와 사랑에 빠져 있지만, 학창시절에는 그 어느 것에도 마음을 둘 수 없는 힘든 시간을 보냈습니다. 부모님이 20년간 흘린 땀과 노력의 결과물인 3층짜리 주택에 저와 가족이 더는 들어갈 수 없는 날이 찾아온 것입니다. 사업을 하던 아버지가 친구에게 도장 한번 잘못 찍어주는 바람에 저와 가족은 12월의 추운 겨울날, 그리운 3층 주택에서 나와 반지하로 쫓겨나듯 이사를 가야 했습니다.

하루아침에 가정경제가 무너지고, 예전과 전혀 다른 주변 사람들의 냉대 속에 보증금 500만 원짜리 월셋방에서 살아본 저로서는 '집'과 '부'에 대한 절실함이 남다를 수밖에 없었습니다. 그렇게 20대에 어렵게 모은 1,000만 원으로 처음 낙찰 받은 충남의 작은 아파트를 시작으로 10여 년을 투자자로 살아왔습니다. 사회 초년생 시절부터 젊은 사람이 할 짓이냐고 손가락질 받기 십상인 '경매꾼'의 삶을 택한 것입니다.

경매에 입문한 지 얼마 안 된 시절에는 법대로, 배운 대로, 정석대로 해야만 하는 줄 알았습니다. 학창시절에 직접 경험했음에도 사정이 어려워져 정든 집에서 나가야 하는 분들의 마음을 헤아리지 못할 때도 많았습니다. 사정을 봐주면 마음이 약해져서 제가 목표로 한 삶이 영영 오지 않을 것 같았기 때문입니다.

첫 낙찰 물건인 충남의 작은 아파트에 살고 있던 분들께는 이 자리를 빌려 늦었지만 사과의 말을 전하고 싶습니다. 특히 대학생이었던 채무자의 자녀에게 모질게 대하며 명도했던 과거를 항상 가슴에 새기면서 현재는 절제된 투자자의 삶을 살고 있습니다.

명함에 새겨진 '경매꾼' 세 글자

2년 전부터 저는 명함에 '경매꾼'이라는 글자를 새겨 넣고 다닙니다. 명함에 새기기 전에는 부끄럽기도 하고 주변의 시선도 좋지 않아 카페를 운영했지만 그래도 경매는 놓지 않았습니다. 실은 카페 역시 변형된 상가투자 방식이었습니다. 큰돈을 들여 화려하게 인테리어를 꾸미고 호기롭게 시작했지만 얼마 지나지 않아 폐업 위기에 처한 카페를 인수해 랜드마크로 만든 뒤 권리금을 받고 파는 방식으로 수익을 낸 것입니다.

현재는 정식으로 주택임대업을 하고 있는 임대사업자이자 온전한 경매꾼으로 살아가고 있습니다. 경매꾼으로 살아가는 이유는 정말 재미를 느끼기 때문입니다. 재미있는 일이 수익까지 안겨주니 다른 일을 하고 싶은 생각이 들지 않습니다.

그리고 이제는 경매꾼이라는 명칭이 자랑스럽습니다. 과거처럼 사기꾼으로 비칠까 노심초사하거나 감출 필요가 전혀 없는 만큼, 제 일을 주위에 정확히 알리고 올바른 방법을 안내해주고 싶다는 생각을 하게 됐습니다.

혼자서 힘들게 쌓은 노하우를 공유하겠다고 마음먹고 실제 나눌 수 있는 삶을 산 지는 얼마 되지 않았습니다. 10년 동안 정말 쉼 없이 달려온 후에야 나눌 수 있는 마음의 여유가 생긴 것에 감사하며, 부끄럽지만 몇 가지 성공적인 사례를 들려드리겠습니다.

이 과정 중 어느 하나라도 소홀히 하면 물건의 수익률이 크게 달라지므로 매 단계마다 최선을 다해야 합니다.

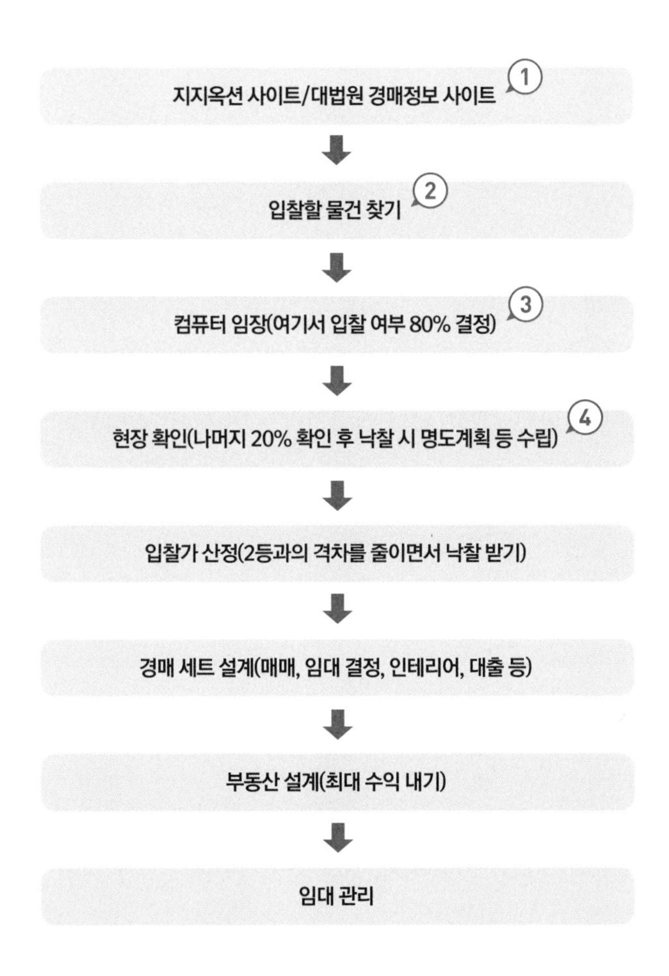

① 경매정보 사이트는 본인의 성향에 맞는 곳을 택하면 됩니다. 첫정이 무섭다고 저는 지지옥션 사이트(www.ggi.co.kr)가 가장 익숙하고 유익해 다른 사이트는 보지 않습니다. 각자의 취향에 맞게 선택하되 '대법원 경매정보 사이트(www.courtauction.go.kr)'도 빼놓지 않고 봐야만 실수를 방지할 수 있습니다.

② 입찰물건 찾기에서 자신에게 맞는 물건을 찾는 게 중요합니다. 이 단계에서 많은 사람들이 '나는 돈이 없어서……', '경매할 수 있을 만큼의 돈을 모은 다음에……'라고 생각하게 마련입니다. 하지만 찾다 보면 돈 없이도 할 수 있는 물건이 많습니다. 다른 사람은 돈이 어디서 나서 매번 낙찰 받는지 궁금해만 하지 말고 경매를 열심히 공부하고 심취하다 보면 길이 열립니다.

③ 제가 처음 시작했을 때만 해도 임장은 발품이었습니다. 장돌뱅이처럼 배낭 메고 많이 돌아다닌 사람이 물건을 손에 넣는 시절이었습니다. 그러나 지금은 컴퓨터 앞에 앉아 해당 물건의 사진, 시세는 말할 것도 없고 역사까지도 등기부등본 등을 통해 모두 볼 수 있는 참 편리한 세상입니다.
요즘도 경매학원에서는 차량에 수강생들을 단체로 태워서 물건 현장에 내려놓은 다음 "임장은 이런 거다"라고 가르칩니다. 차라리 컴퓨터 임장을 가르쳐준다면 경매 입문자들의 시행착오와 수고를 많이 줄일 수 있을 텐데 많이 아쉬운 부분입니다. 가르치는

사람들이 그리 배웠으니 그리 가르치는 게 어쩌면 당연한 것이 겠지요.

④ 80퍼센트의 임장을 책상에서 끝마쳤다면 나머지 20퍼센트를 확인하기 위해 현장에 갑니다. 이렇게 나간 현장 임장은 낙찰됐을 경우 다음 스케줄인 명도와 부동산 활용 계획을 세우는 데 유용합니다. 일부러 현장을 보지 않기 위해 임장을 포기했던 적도 있습니다. 어떤 물건은 현장을 보고 나면 욕심이 생겨서 입찰가를 높게 쓸 우려가 있기 때문입니다. 이 역시 혼자 터득한 저만의 노하우입니다.

'마용성'의 한 축인 용산의 빌라

서부 5계
2017 타경 1444 **다세대**

소 재 지	서울 용산구 서계동 116 3층 303호 (04303) 서울 용산구 청파로73길 22				
경매구분	임의경매	채 권 자	영OOOO		
용 도	다세대	채무/소유자	이OO	매각기일	17.10.17 (240,332,400원)
감 정 가	**289,000,000** (17.03.02)	청 구 액	255,470,107	종국결과	17.12.06 배당종결
최 저 가	**231,200,000** (80%)	토지면적	29.0 ㎡ (8.8평)	경매개시일	17.02.21
입찰보증금	10% (23,120,000)	건물면적	21.9 ㎡ (6.6평)	배당종기일	17.05.04
조 회 수	· 금일조회 **1** (0) · 금회차공고후조회 **87** (29) · 누적조회 **536** (71) ( )는 5분이상 열람 조회통계 · 7일내 3일이상 열람자 **9** · 14일내 6일이상 열람자 **2** (기준일-2017.10.17 / 전국연회원전용)				

원룸 감정가가 2억 8,900만 원?

용산이 우리나라 부동산 시장에서 가장 핫한 곳이라는 사실은 뉴스를 접하는 사람이면 모두 알 수 있습니다. 그러나 용산의 모든 지역이 핫하지는 않지요. 상대적으로 소외된 용산 지역 중 하나가 서계동입니다. 지지옥션 본사가 있는 청파동 바로 옆입니다. 근처에는 숙명여자 대학교가 있어서 임대 수요가 제법 있는 곳입니다.

서울역에 내려 서부역 쪽 출구로 나오면 작은 구릉 같은 동네가 있는데, 그곳에 위치한 원룸 물건이 경매에 나왔습니다. 원룸인데도 감정가가 무려 2억 8,900만 원입니다. 무슨 이유일까요? 한창 용산이 활화산처럼 뜨겁던 오세훈 시장 시절에는 이곳 시세가 3억 8,000만 원에 달했습니다. 누군가 재개발이 확정되면 로또가 될 거라는 기대감에 투자했던 물건인데 좋지 않은 시장 상황을 버티지 못하고 경매에 나온 것입니다. 물론 이런 사정은 명도 과정에서 전 소유자와 대화하다 알게 된 것입니다.

제 ID로 접속해 왼쪽 사진을 보면 상단의 '관심물건' 항목에 별이 5개 표시돼 있습니다. 컴퓨터로 임장이 끝났다는 뜻입니다. 1차에 들어가기에는 감정가가 당시 거래 시세보다 2,000만 원가량 높아 부담스러웠습니다. 그러나 이 물건은 전용면적은 6.6평인 반면 대지 지분은 8.8평이라는 특징이 있어 대지에 가치를 두고 접근하기로 했습니다.

1회 유찰 후 입찰하러 갔습니다. 이 당시 경매시장은 아파트를 중심으로 과열됐던 터라 2회 유찰도 가능할 수 있을 듯하여 최저가를 쓰려고 했었습니다. 서부지법에 도착해 공동투자를 하기로 했던 지인과 의논 후 입찰가를 조금 높였습니다. 그 결과 소위 말하는 비싼 점심값을 치르는 아까운 입찰가로 낙찰이 되었습니다. 결국 공동투자를 하기로 했던 지인은 빠졌습니다.

그럼 낙찰 후 이 물건은 어찌 되었을까요? 2017년 10월 낙찰 이후 몇 개월이 지나 3억 6,000만 원에 바로 위층이 거래됐습니다. 약간의 인테리어로 힘을 준 제 물건에는 4억 원을 제시한 매수자가 나타났지만 저는 이 제안을 거절했습니다. 차익의 절반을 내야 하는 양도소득세 문제도 있지만 가장 큰 이유는 미래가치를 더 높게 보고 장기간 보유해야겠다고 결정했기 때문입니다.

이 물건이 단기간에 이렇게 상승하리라는 걸 저만 알고 입찰한 것은 아닐 겁니다. 경매를 하다 보면 이런 행운은 항상 있는 일입니다. 매시간 노력하는 경매인에 대한 보답이 아닐까 싶습니다.

수익률

낙찰가(부대비용 제외) : 243,549,400 vs. 시세(2018년 말) : 400,000,000

밋밋한 빌라를 핫한 셰어하우스로

동부 5계
2017 타경 3509 **다세대**

소 재 지	서울 송파구 송파동 118-36 청우빌라트 3층 302호 (05665) 서울 송파구 백제고분로44길 13-14				
경매구분	임의경매	채 권 자	서OOOOOOO		
용 도	다세대	채무/소유자	임OO	매각기일	18.03.05 (297,016,000원)
감 정 가	**297,000,000** (17.05.31)	청 구 액	184,104,822	종국결과	18.04.25 배당종결
최 저 가	**297,000,000** (100%)	토지면적	29.5 ㎡ (8.9평)	경매개시일	17.05.18
입찰보증금	10% (29,700,000)	건물면적	53.3 ㎡ (16.1평)	배당종기일	17.08.07
조 회 수	·금일조회 **1** (0) ·금회차공고후조회 **206** (47) ·누적조회 **535** (62) ( )는 5분이상 열람 조회통계 ·7일내 3일이상 열람자 **21** ·14일내 6일이상 열람자 **15** (기준일-2018.03.05 / 전국연회원전용)				

10년 만의 첫 강제집행

두 번째 사례는 송파구에 위치한 다세대로 직접 현장에 가본 물건입니다. 컴퓨터 임장에 그치지 않고 현장까지 가본 이유는 2018년 겨울이 되면 이곳이 8호선과 9호선이 지나는 '더블 역세권'이 되기 때문이었습니다. 더블 역세권도 호재인데 9호선 급행열차도 정차합니다. 출퇴근을 위한 노선인 9호선 급행이 정차하면 파급 효과가 상당히 크기 때문에 1차 입찰에서도 노려볼 만한 가치가 있었습니다.

임장 당시 예상은 했지만 전 소유자의 강한 저항 탓에 10년 만에 처음으로 강제집행의 전 과정을 진행했습니다. 명도 후 이 빌라는 높은 수익률을 위해 셰어하우스로 꾸미기로 결정했습니다. 2주 만에 셀프 인테리어를 통해 셰어하우스를 완성하고, 일주일 뒤 인터넷 사이트를 통해 네 명의 입주자를 모두 채우고 수익률을 완성했습니다.

입찰 당시 매매가가 3억 원이던 이 빌라는 현재 전세가가 3억 5,000만~3억 8,000만 원 정도로 올라와 있는 상황입니다. 이에 셰어하우스를 더 저렴한 곳으로 옮기고, 이 빌라를 전세로 돌려 투자금을 다시 플러스로 만들지 말지 행복한 고민을 하는 중입니다. 2019년이면 주변 4~5킬로미터 반경에 재건축 이주 수요가 쏟아져 나옵니다. 그 시기에 전세로 갈아타고 다른 곳에 투자할 종자돈을 마련해볼까 합니다.

수익률

낙찰가(부대비용 제외) : 297,016,000

대출 총액 : 250,000,000

임대 보증금 : 4,000,000

연간 대출 이자 : 12,148,764

연간 월세 수입 : 24,360,000

[(24,360,000 − 12,148,764)/(297,016,000 − 4,000,000 − 250,000,000)] × 100 = 28.4%

알고 계신가요? '예상 명도비용' 서비스

낙찰자가 현재의 점유자로부터 점유를 이전받는 명도는 경매를 하는 분이라면 누구나 가장 어렵게 생각하고, 꺼리는 부분입니다. 명도에 소요되는 비용을 정확하게 예측할 수 있다면 응찰가 산정 시 반영하거나 명도 협상 시 도움이 됩니다.

이에 지지옥션은 명도 시 소요되는 예상 비용을 알려줌으로써 낙찰자들의 어려움을 조금이나마 덜어드리기 위한 '예상 명도비용' 서비스를 제공하고 있습니다. 경매물건 상세페이지 오른쪽에 있는 날개 메뉴 중 '예상 명도비용' 메뉴를 클릭하면 아래와 같이 해당 물건 면적 등의 데이터를 자동으로 입력, 계산해서 보여줍니다.

면적, 층수, 엘리베이터 유무 등 설정에 따라 금액이 항목별로 자동 산출돼 매우 편리합니다.

나만의 Tip

임장을 제대로 하려면 수사반장 빰치는 수준의 추리와 탐문이 이루어져야 합니다. 이 집은 임장 시 문제가 많은 집이라는 걸 알 수 있었습니다. 집 전체를 두르고 있는 CCTV가 많은 것을 말해주고 있었습니다. 임장 당시 시세는 3억 원이었습니다. 송파의 빌라 밀집지역이라지만 의외의 낮은 가격대에 상승 여력을 직감하고 1차 입찰에 들어가기로 결정했습니다. 유찰이 되면 9호선의 윤곽이 선명해지면서 감정가를 훌쩍 넘어 입찰하는 사람도 나올 수 있었습니다.

임차인에게 양보한 예쁜 빌라

서부 5계
2017 타경 4030 **다세대**

소 재 지	서울 마포구 망원동 57-292 석우빌라8차 4층 401호 (04014) 서울 마포구 월드컵로19길 75				
경매구분	강제경매	채 권 자	한OO		
용 도	다세대	채무/소유자	최OO	매각기일	17.11.21 (206,160,000원)
감 정 가	**206,000,000** (17.06.08)	청 구 액	62,130,410	종국결과	18.01.11 배당종결
최 저 가	**206,000,000** (100%)	토지면적	27.2 m² (8.2평)	경매개시일	17.05.25
입찰보증금	10% (20,600,000)	건물면적	40.3 m² (12.2평)	배당종기일	17.08.07

조 회 수	· 금일조회 **1** (0) · 금회차공고후조회 **105** (21) · 누적조회 **233** (24) ( )는 5분이상 열람 조회통계 · 7일내 3일이상 열람자 **8** · 14일내 6일이상 열람자 **5** (기준일-2017.11.21 / 전국연회원전용)

미운 오리 새끼의 화려한 변신

10년을 수리 한 번 없이 살아온 허름한 빌라입니다. 명도 시 소유주가 살고 있었고, 추운 겨울이라 이사 갈 곳을 찾을 때까지 월세를 받고 두 달 정도 느린 명도를 하게 됐습니다. 이번 물건 역시 저평가된, 하지만 예쁘게 변신시켜주면 화려하게 빛날 보석을 찾은 케이스입니다.

소유주가 이사 가면서 걱정했습니다. 너무 높은 금액으로 낙찰 받아서 어떡하냐고, 자신들은 빚을 갚고도 배당금까지 받아서 고마울 따름이라고…….

전 소유자에겐 가엾은 낙찰자로 보였을지 모르지만, 저는 명도 후 이 빌라를 화려하게 변신시켜 낙찰가보다 1,000만 원이 더 많은 보증금을 받고 전세를 들였습니다. 미운 오리 새끼라고 생각했겠지만 실은 플러스 프리미엄을 실현한 효도 물건이었던 셈입니다.

젊은이들이 모여드는 망원동의 망리단길, 망원시장, 망원역이 모두 걸어서 5분 이내에 있는 노른자 위치입니다. 제가 살고 싶지만 좋은 곳은 비싼 가격에 세입자에게 양보(?)해야 하는 투자자인지라, 아쉽지만 여태 한 번도 예쁜 인테리어를 갖춘 집에 살지 못하고 있습니다.

빌라가 아닌 아파트를 낙찰 받아 1년 만에 2억 원의 수익을 본 사례도 있습니다. 그럼에도 지금까지 빌라만 소개한 것은 상승기 부동산 시장의 덕을 보지 않고 순수하게 제 판단으로 수익을 끌어올린 사례를 말하고 싶었기 때문입니다.

수익률

낙찰가(부대비용 제외) : 206,160,000 vs. 전세가 : 235,000,000

낙찰이 목표가 되어선 안 된다

현금을 7억 원이나 가지고 있지만 전세만을 고집하며 집을 절대 사지 않는 무역회사 대표를 만난 적이 있습니다. 보이지 않는 투자 의욕을 끄집어내 임대를 자가로 변경해주기 위한 상담 자리였습니다. 한 시간에 걸친 상담 끝에 알게 된 사실은 그가 저 같은 사람을 '투자자'가 아닌 '투기꾼'으로 보고 있다는 것이었습니다.

투기꾼 대열에 자신도 동참하면 아름다운 세상을 만드는 일에 위배되는 것이라고, 집은 '사회의 공공재'이므로 절대 투기해서는 안 되며 투자 수단으로 생각해도 안 된다고 하더군요. 그분의 투철한 철학을 바꾸고 싶지는 않았습니다. 누구나 각자 추구하는 길이 있는데 이를 굳이 변경해가면서까지 투자의 길로 인도해야만 하는 것은 아니니까요.

경매꾼으로 살아오면서 항상 성공 스토리만을 쓴 것은 아닙니다. 그럴 때마다 원인을 분석하고 반성하며 다시 실수하지 않기 위해 노력했습니다. 지금은 낙찰 여부가 아니라 수익률을 생각할 만큼 능숙해졌지만, 항상 주위를 살피는 시야와 공감하는 마음을 잃지 않으려 노력하고 있습니다.

꾸준한 노력과 학습은 투자의 길에서 언제나 만족스러운 결과를 안겨줍니다. 여기서 핵심은 꾸준함입니다. 낙찰만을 목표로 한다면 참 쉽습니다. 높은 금액을 써서 내 것으로 만들면 됩니다. 그러나 우리의 목표가 과연 낙찰일까요?

노력의 결과를 낙찰 영수증 하나로 보상받고 싶은 사람은 없을 것입니다. 우리에게 필요한 건 수익이니까요. 그러기 위해선 적당한 가격에 낙찰을 받은 다음 수월하게 명도하는 법, 낙찰 물건의 가치를 올리는 방법, 물건과 관련된 사람들과의 마찰을 줄이는 방법 등 많은 것을 알아야 합니다. 경매하는 사람은 멀티 플레이어가 되어야 한다는 뜻입니다. 숫자나 데이터 분석 결과로만 경매를 판단한다면 낙찰 후 일 처리에서 큰 낙담과 실패, 나아가 포기까지 겪을 수밖에 없습니다.

별별 실패사례 3

입찰표에 0을 하나 더 붙인 실수

사건개요

- 사건번호 : 2017타경 2266[2](수원 16계)
- 감정가 : 8억 1,800만 원
- 키워드 : 0, 입찰표, 10배, 재매각

이슈

이 사건은 선순위 전세권자가 배당신청을 하지 않아 전세금 5,000만 원을 인수하는 것 외에는 권리분석에 특별한 어려움이 없습니다. 3회 유찰된 후 2018년 8월 7일 세 명이 입찰에 참여했는데, 최고가 매수신고인의 낙찰가를 호창하는 순간 법정 안이 술렁였습니다. 낙찰가가 무려 33억 5,380만 원(낙찰가율 410퍼센트)이었기 때문이었습니다. 최저가가 3억 원도 안 됐으니 놀랄 수밖에 없었습니다.

사연인즉, 입찰표를 작성할 때 아라비아 숫자 억 단위를 십억 단위부터 기재해 입찰하고자 하는 가격의 10배 가격으로 입찰한 것입니다. 당연히 대금을 납부하지 못해 입찰 보금증 2,800여만 원을 포기할 수밖에 없었겠지요. 우리 대법원 판례는 10배 가격으로 입찰한 것을 매각불허가 사유나 매각허가결정 취소사유로 보지 않기 때문에 입찰 보증금을 포기할 수밖에 없습니다. 그러나 입찰자의 나이, 학력 등을 반영해 진솔한 마음으로 불허가신청서를 작성하면 받아들이는 법원도 있으므로 미리 포기하지 말고 전문가를 찾아가 상담해볼 필요는 있습니다.

시사점

입찰가는 수천만 원에서 많게는 수십억 원인데, 아라비아 숫자로만 표기하는 것은 문제가 있습니다. 당일 법정의 분위기에 휩쓸리다 보면 입찰표 작성 시 떨릴 수밖에 없고 실수할 가능성도 높아집니다. 가급적이면 사전에 입찰가를 결정한 뒤 입찰표를 미리 작성해 가는 것이 하나의 대안일 수 있습니다. 작성한 입찰표를 제출하기 전에 본인이 반복해서 확인(특히 사건번호와 입찰가격)하는 것도 필수이지만, 동행자에게 확인을 부탁하는 것도 하나의 방법입니다.

소유자
임차인
대항력무
점유자
채권자
인도명령
유치권자
대항력
임차인
명도소송

IMF로 입문한 경매 덕에 I'M Fine

도전사례 1 조폭 앞에서도 기죽지 않고 건진 상가 건물
도전사례 2 동네 친구를 만나 명도를 단번에 해결한 건물
도전사례 3 20명의 임차인을 상대한 근린상가 건물
도전사례 4 '신반포'가 되면서 대박 난 단독주택

IMF로 입문한 경매 덕에 I'M Fine

설균옥
과거 우리나라 최대 부동산 재벌로 불리던 기업에서 경리부장을 역임했을 정도로 부동산과는 남다른 인연을 가지고 있다. 경리부장 시절 회사가 보유한 서울 강남지역 노른자 땅 위에 개발 붐을 타고 아파트, 빌딩, 고급 주택, 호텔 등이 들어서는 것을 보고 부의 원천이 어디에 있는지를 깨달은 그는 퇴사하여 1기 공인중개사가 되었다. 경매의 길로 들어서게 만들었던 건물 투자에 전문성을 지니고 있다.

부의 원천을 알게 되다

저와 부동산은 인연이 깊은 것 같습니다. 대학을 졸업하고 들어간 첫 직장은 마침 부동산을 많이 소유한 '동광기업'이란 회사였습니다. 맡은 업무가 경리이다 보니 회사의 재무 상태와 자금 흐름을 전반적으로 파악할 수 있었습니다. 당시 동광기업은 우리나라 최대 부동산 소유 재벌로, 부동산을 통한 개발 사업을 추진하며 늘려간 자산 규모가 본업이던 섬유제조나 무역업을 크게 앞지를 정도였습니다.

회사가 소유하고 있던 서울시 강남구 역삼동의 밭들은 자동차 운전면허 학원 및 업무 빌딩(한국은행 강남본부, 스타타워빌딩)으로, 나머지는 고급 주택과 아파트 단지(개나리 · 진달래아파트)로 변했습니다. 또한 청담동 토지는 고급주택 단지로, 방배동과 반포동 토지는 개나리아파트와 삼호아파트 단지로, 용인과 제주도 토지는 골프장과 호텔 부지로 변하는 과정을 직접 볼 수 있었습니다.

이러한 부동산의 흐름을 보면서 저는 부의 원천이 토지에 있다는 사실을 인식하고, 회사를 퇴직해 공인중개사 사무소를 차렸습니다. 남보다 한 발 앞서간다는 심정으로 중개업뿐만 아니라 개발 사업에도 손을 댔습니다. 국민소득 수준이 1만 달러를 넘어가게 되면 여유로운 삶에 대한 관심도가 높아질 것으로 예상했습니다. 밀도 높은 도시 환경에서 벗어나고자 하는 사람들의 수요가 늘어날 것으로 내다본 저의 예측은 다행히 적중했습니다.

자금 여유가 있는 사람들을 중심으로 별장 개념의 주택 수요가 늘어나고, 도로 건설에 따른 교외 접근성이 높아지면서 전원주택 수요가 많아졌습니다. 중개하면서 알게 된 서울 근교지역을 중심으로 토지를 매입하다 보니 직접 개발도 할 수 있겠다는 생각이 들었습니다. 서울에서 가깝고 그린벨트 지역을 벗어난 팔당호수 남한강변 양평군 강하면의 임야 3만 5,000평, 서종면 벽계구곡 계곡의 1만여 평을 매입했습니다. 그리고 이 토지를 전원마을로 개발하기 위해 개발 회사를 설립했습니다.

IMF로 경매에 입문

제가 처음 경매시장에 발을 들여놓은 것은 1997년 IMF 외환위기로 개발 사업을 중단하게 됐을 때입니다. IMF로 인한 타격은 전 분야에 걸쳐 큰 영향을 끼쳤고, 이러한 사회적 · 경제적 어려움은 경매물건의 증가로 이어졌습니다. 물량이 많은 만큼 좋은 물건도 많았습니다. 물건은 많고 허술한 점도 많아서 기대 이상의 수익이 났고, 그만큼 재미도 있었습니다.

그러나 매번 좋은 물건을 찾을 수 있는 것은 아니었습니다. 무엇보다 제대로 된 정보를 파악하는 데 어려움이 많던 시기였습니다. 인터넷을 제대로 사용할 수 있는 시기가 아니었기 때문에 경매 관련 정보를 얻기 위해서는 신문광고나 경매정보지, 법원기록 열람 등을 활용해야 했습니다. 그렇게 공개되는 정보도 약식이다 보니 제대로 된 정보를 얻지 못한 상태에서 준비해야 하는 어려움이 있었습니다.

약식이 아닌 정보를 볼 수 있는 것은 경매 시작 한 시간 전뿐이었고, 그마저도 보려는 사람이 많으면 제대로 볼 수가 없었습니다. 그래도 한 가지 좋은 점은 있었습니다. 경매 기록물을 보는 사람의 수와 얼굴 표정을 보면 대충 경쟁률을 가늠해볼 수 있었고, 경쟁률을 점칠 수 있으면 낙찰가도 예상할 수 있었습니다. 요즘처럼 모든 정보가 공개된 상태에서는 경쟁률을 점친다는 게 무척이나 힘듭니다. 그러니 실거래 가격을 심도 있게 조사해 소신껏 응찰하는 수밖에 없습니다.

조폭 앞에서도 기죽지 않고 건진 상가 건물

중앙 4계
1997 타경 53572 **상가**

소 재 지	서울특별시 중구 회현동2가 19-1 도로명주소				
경매구분	임의경매	채 권 자	중OOO		
용 도	상가	채무/소유자	풍OOO/	매각기일	99.01.20 (86,500,000원)
감 정 가	**320,000,000**	청 구 액	200,000,000	종국결과	99.08.12 배당종결
최 저 가	**0** (0%)	토지면적	241.3 ㎡ (73.0평)	경매개시일	97.11.29
입찰보증금	응찰가의 10%	건물면적	206.6 ㎡ (62.5평)	배당종기일	

기록 열람을 통해 경쟁률을 예측하다

이 물건은 당시 어떠한 매력도 발견할 수 없었습니다. 단순히 감정가 대비 낮은 가격으로 경매가 진행돼가는 것이 전부였지만 낮은 가격을 생각해서 입찰하기로 했습니다. 입찰 당일 기록물을 보는 사람도 많지 않았습니다. 다시 말해 사람들이 보기에 이 물건은 소위 '먹을 게 별로 없다'고 보였던 것입니다. 그러나 제 생각은 조금 달랐습니다. 감정가가 3억 2,000만 원인데 8,000만 원 대에 매입할 수 있다면 큰 이익이 될 것이라 판단해 뛰어들었습니다.

건물은 아주 낡은 일본식 적산가옥으로 2층이었고, 지면에 고저 차가 있었습니다. 북쪽으로는 차량 출입이 가능한 약 6미터 너비의 도로가 있고, 동쪽과 남쪽도 통행이 가능해 3면이 도로에 접한 곳이었습니다. 도시계획확인원을 살펴보니 북쪽으로 15미터, 동쪽으로 8미터 도시계획선이 그어져 있어 실행만 되면 지가 상승이 상당할 것으로 예상됐습니다. 하지만 토지 소유자가 3인(1인은 국가)이었고, 건물도 5세대 중 1세대는 입찰 외 타인 소유라 재건축이 쉬워 보이지는 않았습니다.

당시는 인터넷으로 정보가 전부 공개되지 않던 시기라 경매 당일, 그것도 겨우 경매 개시 한 시간 전이 돼야만 법원 경매기록을 전부 볼 수 있었습니다. 입찰자는 모두 경매 기록을 열람하고자 하기 때문에 열람자 수를 보면서 경매 낙찰가격을 점쳐볼 수 있었습니다.

경매 기록을 보는 사람은 겨우 네 명에 불과했습니다. 이를 통해 경쟁률을 2~3대 1 정도로 예상했고, 응찰자 한 명당 100만 원씩, 총 300만 원을 최저가에 더해 8,650만 원으로 응찰했습니다. 다행히 50만 원 차이로 최고가 입찰자가 되었습니다.

알고 계신가요? '조회 수 통계' 서비스

지지옥션을 이용하는 분들은 대부분 권리관계, 특수매각조건, 임차현황 등 물건 자체에 대한 정보를 얻는 것이 주목적입니다. 이런 정보들을 활용하고 판단해 입찰 여부 및 입찰가 등을 결정합니다. 하지만 오직 해당 물건의 조회 수만을 알기 위해 지지옥션을 이용하는 분들도 있다는 사실을 알고 계신가요? 이 역시 지지옥션에서만 볼 수 있는 독특한 이용 형태로, 가장 많은 사람들이 보고 이용하는 지지옥션의 조회 수를 통해 입찰 경쟁률과 예상 낙찰가를 예측하기 위해서입니다.

지지옥션은 이처럼 조회 수가 갖는 중요성을 일찌감치 인식하고 '금일 조회' 외에도 '금회차 공고 후 조회', '누적 조회' 등 투자자들의 다양한 수요를 충족시키기 위한 조회 수 정보를 제공하고 있습니다. 동일인(동일 ID)의 중복 조회를 걸러내고, 자주 보는 사람 수를 보여줌으로써 보다 정확한 경쟁률을 예측할 수 있게끔 '7일 내 3일 이상 열람자', '14일 이내 6일 이상 열람자' 정보도 제공하고 있습니다. 조회도 '단순 조회'와 '5분 이상 열람'으로 구분해 조회와 관련된 양적·질적 측면 모두에서 차별화된 서비스를 제공하고 있습니다.

조폭이 통사정을 하다

기록상 세입자들이 보증금을 배당받기 때문에 쉽게 풀 수 있겠구나 싶었는데 양○○과 유○○의 배당금에 대해 채권자가 배당이의를 제기하면서 돌발변수가 발생했습니다. 저도 이 두 사람에게는 명도소송을 제기했는데, 재판 과정에서 양○○은 채무자이자 소유자의 시어머니로 밝혀져 소 제기 9개월 만에 승소 판결을 받았습니다.

또 다른 세입자 유○○은 진정한 세입자이지만 소유자의 꾐에 빠져 인감증명서를 의심 없이 주는 바람에 세입자임을 부인하는 서류에 날인하면서 채권자와 법정 공방을 벌였습니다. 저로서는 배당이의의 소가 끝날 때까지 기다릴 수밖에 없었습니다. 이 소송은 결국 3년 뒤 대법원까지 갔으나 세입자가 패소해 제가 3,500만 원을 대납하고 해결했습니다.

배당받은 세입자와는 재계약을 했고, 소유자는 명도를 하기 위해 대화를 시도했으나 전혀 응해주지 않았습니다. 한번은 건장한 조폭 다섯 명이 사무실로 몰려와 "겁도 없이 우리 큰형님 집을 먹겠다고?"라면서 계약금의 두 배를 배상할 테니 집을 넘기라고 요구했습니다.

넘기지 않으면 재미없을 것이라고 을러대기에 "그래, 나도 산전수전 다 겪은 특공대 출신 참전 용사다"라고 역으로 강하게 대응하면서 법원 집행관실에 명도집행 신청을 했습니다. 집행관이 집행 전에 답사를 위해 물건지에 들러보니 80대 노인이 누워 있더랍니다. 집행관은 저에게 거동 못 하는 환자가 있으면 의사, 간호사를 대동한 앰뷸런스를 동원해야 한다면서 당장 집행이 어렵다고 전해 왔습니다.

이에 저는 집행관에게 일단 집행일자를 잡아주고 현재 거주하는 소유자에게 집행일자를 통고해달라고 요청했습니다. 며칠 후 태도가 완전히 바뀐 조폭 중간보스쯤 되는 사람이 2,000만 원짜리 수표와 현금 400만 원을 들고 찾아와 1년만 집행을 미뤄달라고 통사정을 하기에 그렇게 하기로 합의했습니다. 앞서 말한 도시계획확인원에 적힌 대로 2015년에 도시계획이 시행되어 너비 15미터의 8차선 도로가 완공됐습니다. 해당 대지의 위치도 코너가 되면서 예상대로 지가가 급등했습니다. 싸게 사고 어렵게 구입한 만큼 현재의 평가이익도 큰 편입니다.

수익률

낙찰가(부대비용 포함) : 126,830,000

임대 보증금 : 230,000,000

연간 월세 수입 : 45,360,000

동네 친구를 만나 명도를 단번에 해결한 건물

중앙 12계
1998 타경 98077 **창고**

소 재 지	서울시 용산구 청파동2가 104-4 도로명주소				
경 매 구 분	임의경매	채 권 자	농OOO		
용 도	창고	채무/소유자	서OOO/서OO	매 각 기 일	99.10.28 (373,000,000원)
감 정 가	**539,081,600**	청 구 액	450,000,000	종 국 결 과	99.12.27 배당종결
최 저 가	**0** (0%)	토 지 면 적	376.2 ㎡ (113.8평)	경매개시일	98.12.03
입찰보증금	응찰가의 10%	건 물 면 적	170.1 ㎡ (51.5평)	배당종기일	

동일한 가격 산정방식으로 또다시 낙찰

비교적 임대 수익이 높은 물건을 찾던 중 '보증금 1억 1,400만 원/월세 315만 원'이라고 기재된 이 물건을 발견하고 일단 현장답사를 해봤습니다. 대로변 바로 뒤 블록에 위치했지만 승용차 한 대도 지나가기 힘든 도로에 접해 있었습니다. 3층짜리 콘크리트 건물이었으나 천막으로 지붕을 덮은 다소 허술한 건물이었습니다.

마침 대로변에 위치한 큰집 조카 소유의 건물이 이 물건과 바로 접해 있었습니다. 당장 임대 수입은 적지만 향후 두 건물을 이용해 동시에 재건축을 하면 25미터 대로변에 접해 있어 좋은 기회가 될 거라는 생각에 입찰했습니다.

이 물건도 앞서 회현동 물건과 유사한 방식으로 입찰가를 산출했습니다. 최저가는 3억 4,500만 원이었고, 경쟁 입찰자는 6명 정도로 예상했습니다. 한 명당 500만 원씩 총 3,000만원을 높여 3억 7,300만 원에 응찰해 최고가 입찰자가 되었습니다.

낙찰 후 잔금을 납부하려는데 등기이전 비용까지 최소 2억 원을 차입해야 하는 상황이었습니다. IMF 시절이라 기존에 거래하던 은행에서는 대출이 전혀 되질 않았습니다. 다행히도 대학 동창들이 금융기관에 많이 몸담고 있었고, 한 은행에 부탁하니 흔쾌히 응해줘 잔금을 제때에 납부할 수 있었습니다.

키맨이 친구였을 줄이야

세입자는 총 7명이었습니다. 1층에는 90평가량 되는 인쇄공장이 있었는데, 내부에 있는 인쇄기계의 크기가 상당했습니다. 어떻게 옮겨왔냐고 물으니 그 안에서 조립했다고 합니다. 인쇄공장 옆은 사출공장이었는데 사출기도 무척 커 보였습니다. 2층에는 봉제공장 두 곳이 있었고, 나머지는 원룸이었습니다. 3층에는 가죽공장이 있었는데 거기에도 큰 기계가 있었습니다.

어떻게 명도를 해야 할지 도무지 감이 잡히지 않았습니다. 잘못 건드리면 몇 년 동안 명도도 못 하고 소송만 하겠구나 싶었습니다. 소송해서 승소한다 해도 큰 기계 때문에 강제집행이 불가능해 보였습니다.

낙찰 후 2개월 동안 어떠한 조치도 취하지 않고 일단 동태를 지켜봤습니다. 얘기를 들어보니 보증금 5,000만 원에다 건물주에게 1억 원짜리 어음 깡까지 해준 1층 인쇄소의 손실이 가장 커서 다들 인쇄소 사장의 눈치만 보는 분위기였습니다. 인쇄소 사장은 키가 자그마하고 체구는 작았으나 무척 다부진 인상이었습니다.

하루는 퇴근 무렵 인쇄소에 찾아가 사장에게 저녁이나 하자고 했더니, 대포나 한잔 하자고 해서 그의 단골집에 같이 들어갔습니다. 함께 술잔을 기울이면서도 명도니 재계약이니 하는 얘기는 전혀 꺼내지 않았습니다. 그러다 나이가 저하고 비슷해 보이고 서울 말씨라서 혹 고향이 서울 아니냐고 물으니 용산구라고 하더군요. 말이 나온 김에 초등학교를 물으니 제가 졸업한 청파초등학교 바로 옆에 위치한 금양초등학교를 졸업했다고 합니다. 알고 보니 효창공원을 사이에 두고 같은 시기에 뛰놀던 동갑내기 친구였습니다.

우리는 바로 말을 놓고 "반갑다. 어떻게 이렇게 만나게 되냐" 하면서 속 깊은 얘기를 나누게 되었습니다. 그 친구는 3개월 동안 날 쭉 지켜봤다면서, 대뜸 "친구야, 마음고생 많이 했지? 세나 많이 올리지 마!"라고 하더군요. 저도 "그래, 알겠다" 하고 다음 날 보증금 1억 원, 월세 110만 원에 바로 재계약을 했습니다.

초미의 관심사였던 인쇄소가 재계약했다는 소식을 전해 들은 다른 세입자들도 명소소송 없이 한꺼번에 재계약을 체결했습니다. 명도소송이 이어지며 해결이 꽤나 어려울 것으로 보였던 처음의 우려와 달리

일이 너무나 쉽게 풀렸습니다. 어렵다는 생각이 들 때 한 발 뒤로 물러나 여유를 갖고 기다리면 생각지도 않게 쉽게 풀리는 경우도 있다는 깨달음을 얻을 수 있었습니다.

명도 후 조카 건물의 소유주가 바뀌는 바람에 재건축이 무산되어 현재는 월세만 받고 있습니다. 그 대신 용산 부동산 인기로 지가는 많이 상승했습니다.

20명의 임차인을 상대한 근린상가 건물

동부 3계
2013 타경 2003 **근린시설**

소 재 지	서울 송파구 삼전동 132-2 , -11 [일괄]-11, (05603) 서울 송파구 삼학사로 77				
경매구분	임의경매	채 권 자	우OOOOOOOOOOOO		
용 도	근린시설	채무/소유자	박OO	매 각 기 일	13.12.09 (5,466,100,000원)
감 정 가	**6,585,487,800** (13.02.04)	청 구 액	7,716,028,350	종 국 결 과	14.02.14 배당종결
최 저 가	**4,214,712,000** (64%)	토 지 면 적	500.8 m² (151.5평)	경매개시일	13.01.29
입찰보증금	10% (421,471,200)	건 물 면 적	955.4 m² (289.0평)	배당종기일	13.08.13
주 의 사 항	· 유치권 · 선순위전세권 · 입찰외 · 위반건축물 특수件분석신청 · 소멸되지 않는 권리 : 1,2,3.- 을구8번(2001.07.24.접수 제65698호 전세권)설정				
조 회 수	· 금일조회 **1** (0) · 금회차공고후조회 **671** (38) · 누적조회 **1,910** (480) ( )는 5분이상 열람 조회통계 · 7일내 3일이상 열람자 **33** · 14일내 6일이상 열람자 **17** (기준일-2013.12.09 / 전국연회원전용)				

단체행동에 나선 임차인들

이 물건을 선정한 동기는 2018년 지하철 9호선 개통이 예정돼 있고, 석촌고분역에서 200미터도 안 되는 지점의 대로변에 있다는 입지 조건 때문이었습니다. 석촌호수로 가는 최단거리 길목에 있어 낙찰 후 4년이 지나 9호선이 개통되면 도로 및 지역이 활성화되어 지가 상승이 클 것으로 예상했습니다.

지지옥션 정보를 보면 '유치권, 선순위 전세권, 위반건축물' 등의 단어가 복잡하게 등재돼 있고, 세입자는 20명에 가까워 명도에 상당한 어려움이 따를 것 같았습니다. 그러나 현장조사를 해보니 유치권 요건은 갖춰져 있지 않았고 유치권 행사도 전혀 이루어지지 않고 있었습니다. 위반건축물 역시 탐문 결과 1층 세입자가 건물 뒤 공간에 가건물을 설치, 사용하다 걸린 것이라 과태료를 내고 철거하면 문제가 없었습니다.

입찰가 산정을 위한 우선 단계로 분위기를 파악하고자 경매신청자인 NPL(Non Performing Loan) 채권자를 찾아갔습니다. 상당히 많은 투자자가 이 물건에 관심 있다는 것과 그 채권자도 경매 참여 예정이라는 정보를 알게 됐습니다. 매입금액 최대치를 먼저 정하고, 그 선을 넘지 않은 범위 내에서 건물은 무시하고 토지만 평가하니 평당 4,000만 원(감정가는 4,100만 원)이라는 입찰가가 산출됐습니다. 이렇게 산출된 54억 6,610만 원으로 입찰했습니다. 총 6명이 입찰에 참여했고, 차순위자와 4,000만 원이라는 근소한 차이로 낙찰 받는 데 성공했습니다.

2014년 1월 한 은행에서 연리 3퍼센트로 49억 원을 대출받아 잔금을 납부함과 동시에 세입자 전원에 대해 인도명령신청을 했습니다. 20여 명의 세입자 중 10명만 배당을 받을 수 있고 나머지는 배당을 받지 못하는 처지였습니다. 이러한 상황에서 세입자들은 단체행동을 하겠다며 개별 접촉을 피했습니다.

임차인 그루핑 전략

일단 세입자를 원룸과 상가 세입자로 나눈 뒤, 다시 배당을 받는 세입자와 받지 못하는 세입자 그룹으로 세분해 접촉하기로 했습니다. 상가 세입자는 가장 늦게 접촉하기로 정했고, 배당받는 그룹은 이사 날짜만 정하면 되니 문제 될 게 없었습니다. 이에 잔금 대금 지불일자를 기준으로 월세와 전기세, 도시가스비까지 전부 받고 명도를 마무리했습니다.

원룸 세입자 중 다섯 명은 월세 없이 전세 보증금 5,000만 원만 낸 상황이라 가장 큰 손해를 입게 된 그룹이었습니다. 그중 한 명을 만나 얘기를 들어보니 경찰 발령을 받은 지 얼마 지나지 않아 은행에서 저리로 전세금을 빌리는 편이 월세를 내는 것보다 유리하다고 생각해서 전세 보증금을 냈다고 하더군요.

그 말을 듣고 저는 차분하게 얘기했습니다. 3월 말까지 명도를 해주면 손해 지연금은 받지 않겠지만 그러지 않으면 법적으로 대응할 것이니 양자택일을 하라고 했습니다. 신입 경찰은 자신과 같은 처지의 친구 네 명이 더 있다며 그들과 상의를 했고 결국 원만히 해결되었습니다.

다른 세입자들도 소식을 듣고는 유사한 방식으로 해결이 되었는데, 주민등록도 안 돼 있고 계약서도 없는 사람이 한 명 있었습니다. 3월 말쯤 이 사람만 제외하고 전부 명도가 마무리되었습니다. 결국 이 세입자는 나중에 집에 들어오지 않는 것으로 확인되어 출입문에 자물쇠를 채우고 전기를 끊은 뒤 개문해 해결했습니다.

이제 남은 것은 마지막에 접촉하기로 했던 배당금을 받지 못하는 상가 세입자 세 명이었습니다. 2층 마사지실은 사정이 너무 딱해 이사비 200만 원을 쥐여주고 해결했습니다. 1층 식당과 필름가게는 월세 상당액을 내고 7월 말까지 명도하기로 합의해 종결되었습니다. 명도가 완료된 후 2억 원을 들여 수리를 하고 새롭게 단장했습니다. 원래 매입할 때부터 9호선이 개통되고 거리가 활성화될 때까지 보유하기로 했기 때문에 현재는 금융 비용만 해결하면 됩니다.

수익률

낙찰가(부대비용 포함) : 5,986,100,000

대출 총액 : 900,000,000

임대 보증금 : 390,000,000

연간 대출 이자 : 31,500,000

연간 월세 수입 : 276,000,000

[(276,000,000 − 31,500,000)/(5,986,100,000 − 390,000,000 − 900,000,000)] × 100 = 5.2%

'신반포'가 되면서 대박 난 단독주택

중앙 7계
2015 타경 16652 **단독주택**

소 재 지	서울 동작구 흑석동 282-7 (06982) 서울 동작구 현충로14다길 12				
경매구분	임의경매	채 권 자	흑OOOO		
용 도	단독주택	채무/소유자	유OOOO	매각기일	16.05.19 (415,230,000원)
감 정 가	**404,081,960** (15.10.19)	청 구 액	28,519,500	종국결과	16.07.21 배당종결
최 저 가	**404,081,960** (100%)	토지면적	90.3 ㎡ (27.3평)	경매개시일	15.10.08
입찰보증금	10% (40,408,196)	건물면적	전체 173.2 ㎡ (52.4평) 제시외 23.6㎡ (7.1평)	배당종기일	16.01.06
조 회 수	· 금일조회 **1** (0) · 금회차공고후조회 **285** (36) · 누적조회 **368** (42) · 7일내 3일이상 열람자 **14** · 14일내 6일이상 열람자 **6**			( )는 5분이상 열람 조회통계 (기준일-2016.05.19 / 전국연회원전용)	

한강 조망이 가능

현금 2억 원으로 투자할 물건을 찾던 중 흑석동 재개발지역으로 고시된 지역 내에 있는 단독주택이 경매에 나온 것을 알게 됐습니다. 대충 자료를 살펴보았더니 세입자들이 대항력도 없고, 전부 배당을 받을 수 있을 것으로 보여 응찰하기로 했습니다.

현장에 가보니 집은 대체로 깨끗한 편이었습니다. 주차할 공간이 마땅치 않았으나 6차선 도로가 집 남쪽 방향으로 나 있어서 차량 통행에는 지장이 없어 보였습니다. 재개발 11지구에 해당하는 곳이었는데, 7지구와 3지구는 건물을 철거하고 이미 아파트 기초공사가 진행중이었습니다. 11지구는 한강변이라 재개발이 완성되어 아파트가 들어서게 되면 한강 조망도 바라볼 수 있는 위치였습니다.

주변 중개업소를 통해 조사해보니 물건이 거의 없다며 50평형 이상은 평당 1,700만~1,800만 원, 작은 평수는 2,000만 원이 넘어간다고 하더군요. 인근에서는 이 물건이 경매에 넘어간 것도 모르는 상태였고, 지지옥션 자료도 관심 있게 보는 사람이 없어 보였습니다. 물건을 잡으면 확실히 돈이 될 듯싶어 최저가로만 응찰하려다가, 경쟁자가 나올 수 있다는 생각에 1,000만 원을 더한 4억 1,523만 원에 단독낙찰 받았습니다.

몇 차례 경매물건으로 거래했던 모 은행에서 2억 원을 대출받았습니다. 세입자 모두 배당 신청한 금액을 받기 때문에 명도를 위해 특별히 노력한 것도 없었습니다. 잔금을 납부하고 세입자들을 만나보니 대부분 잔류하기를 원해 월세를 약간 조정했고, 보일러 교체와 도배 등을 요구해 1,500만 원을 들여 해줬습니다. 그리고 입찰 당시에는 몰랐는데 건물 옥상에 휴대폰 안테나가 설치돼 있어 두 곳의 통신사로부터 연 700만 원씩 받기로 계약했습니다.

이곳은 한강 조망이 가능하다고 해 '신반포'로 지역명이 바뀐 뒤 불과 2년 만에 가격이 가파르게 상승한 지역이 되었습니다.

수익률

낙찰가(부대비용 포함) : 437,000,000

임대 보증금 : 225,000,000

연간 월세 수입 : 11,000,000

(11,000,000)/(437,000,000－225,000,000)×100＝5.2%

더 높은 목표를 향해 도전

부동산 경매로 여기저기서 떼부자가 나왔다는 소문이 나돌고 인터넷으로 경매물건 기록이 공개되기 시작하자 많은 사람들이 경매에 관심을 가지고 몰려들기 시작했습니다. 일반인을 상대로 한 경매학원들도 많이 생겨나 경매시장에는 전문가 외에 아마추어들이 판을 치게 되었고, 수익률은 점점 떨어졌습니다.

그래서 요즘은 소위 하자 있는 물건인 유치권, 법정지상권, 대항력 있는 임차인, 지분경매, 묘지, 맹지와 같이 쉽게 접근할 수 없는 물건에 주로 관심을 두고 있습니다. 이런 물건들은 해결하는 방법이 다소 까다롭긴 하지만, 해결이 되면 그만큼 확실한 고수익이 보장되기 때문입니다.

유치권
대항력 있는 임차인
채무자
대항력 없는 임차인
종전 소유자
2방은 명도소송
3방은 인도명령
낙찰자

실패도 결국은 경매의 한 단면

도전사례 1 '명도가 경매의 절반'임을 뼈저리게 느끼다

도전사례 2 과욕을 부리다 실패한 지분경매

도전사례 3 분묘를 확인 못 해 입찰 보증금을 날린 임야

실패도 결국은 경매의 한 단면

김부철

뜻하지 않게 IMF를 만나 '자의 반 타의 반'이 아닌 100퍼센트 타의로 경매에 입문했다. 비록 자발적으로 입문한 것은 아니지만 대학에서 법학을 전공한 데다, 부실채권 관리업무를 진행하던 경험이 더해지면서 지금은 경력 20년이 넘는 경매 내공을 자랑한다. 누구나 꺼리는 실패사례를 담담하게 풀어놓는 이유는 경매도 다른 인생사와 같이 과욕을 부리면 탈이 날 수밖에 없고, 결국은 법조문이 아닌 사람과 사람 사이의 일이라는 것을 들려주기 위해서다.

경매 대중화의 그늘

멀쩡한 회사를 다니다 반갑지 않은 IMF를 만나 타의에 의해 어쩔 수 없이 퇴사하고 선택한 것이 부동산 경매였습니다. 법학을 전공하고 회사에서 부실채권 관리(담보물 실사, 담보설정, 경매신청, 동산경매, 기타 채권 추심 등)를 담당했던 인연이 경매로 이어진 것입니다.

퇴사 후 3개월 만에 공인중개사 자격을 취득해 중개업소를 창업했습니다. 창업 직후 중개업무보다는 경매물건만 취급하기 위해 중개법인을 설립, 지금까지 실전 경력 20년이 넘는 '경매쟁이'가 되었습니다.

2002년 현행 민사집행법이 시행되면서 인도명령 대상자가 매수인에게 대항력이 없는 모든 점유자로 확대됐습니다. 아울러 매각허가결정에 대해 불복하는 모든 항고인에게 항고 보증금(매각대금의 10퍼센트)을 공탁하는 제도도 도입됐습니다. 이 두 가지 제도는 경매 대중화를 촉발하는 계기가 되었고, 경매 대중화는 필연적으로 낙찰가율 상승과 수익률 하락이라는 결과를 가져왔습니다.

수익률 저하는 경매 컨설팅업체의 위축으로 이어지고, 이에 따라 컨설턴트는 이직을 할 수밖에 없습니다. 이직하지 않고 살아남은 경매 실무경력 10년 이상의 경매쟁이들은 수익률이 높은 지분경매나 유치권 등 권리관계가 복잡해 초·중급자가 입찰하기 어려운 경매물건에 눈을 돌리게 됩니다.

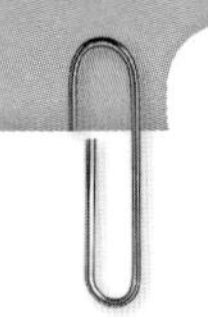

'명도가 경매의 절반'임을 뼈저리게 느끼다

수원 2계
1998 타경 26308 **단독주택**

소 재 지	경기 용인시 기흥구 상하동 121 청지빌라 가동나동 도로명주소 (구: 경기 용인시 구성읍 상하리 121)				
경매구분	강제경매	채 권 자	주상필외2		
용 도	단독주택	채무/소유자	김양자	매각기일	99.04.27 (353,000,000원)
감 정 가	**931,773,200**	청 구 액	52,000,000	다음예정	
최 저 가	**0** (0%)	토지면적	0.0 ㎡ (0.0평)	경매개시일	98.03.12
입찰보증금	응찰가의 10%	건물면적	0.0 ㎡ (0.0평)	배당종기일	

20년 전으로 떠나는 경매여행

1999년으로 경매여행을 떠나봅니다. 경기도 용인시 구성면 상하리는 당시만 해도 시골과 다를 바가 없었습니다. 제가 낙찰 받은 원룸, 투룸형의 다가구주택 또한 승용차 한 대가 겨우 들어갈 정도의 산속에 있었습니다. 감정가가 다소 고평가된 부분도 있었지만, 네 번이나 유찰된 후 감정가의 37.9퍼센트에 낙찰 받은 것을 보면 당시 상하리가 얼마나 낙후된 곳이었는지 짐작이 갈 것입니다.

저가에 낙찰된 또 다른 이유는 월세를 받기 위해 급히 지은 건물이다 보니 식수도 제대로 나오지 않고, 방음도 되지 않는 등 건물 상태가 엉망이었다는 점입니다. 여기에 명도 대상자가 소유자를 포함해 35명의 임차인까지 무려 36명에 달했다는 점도 싸게 낙찰된 이유입니다.

당시 인도명령 대상자는 소유자 및 채무자, 경매개시결정일 이후에 입주한 임차인 등 총 5명뿐이었습니다. 경매개시결정일 이전에 입주한 임차인 중 명도소송 대상은 총 25명이었습니다. 입찰 시 30여 명을 명도하는 데 소요되는 기간은 약 1년, 비용은 약 2,000만 원(가구당 50~100만 원) 정도로 예상하고 낙찰을 받았습니다.

당당한 소유자

인도명령결정문은 2주일 정도면 인용되지만, 명도소송은 상대방의 응소 방법에 따라 수개월에서 1년 이상 소요되기도 합니다. 명도소송 대상자를 상대로 소송을 제기하고 인도명령 대상자부터 명도하는 것으로 계획을 잡고 소유자와 협의를 시작했습니다.

하지만 제 예상과 달리 시작부터 난관이었습니다. 자신과 임차인 모두 일시(2개월 이내)에 나가는 조건으로 무려 1억 원의 이사 비용을 요구하더군요. 1999년 당시 1억 원이면 24평형 아파트를 매입할 수 있고, 32평형 아파트 전세도 가능할 정도로 큰 금액이었습니다. 소유자는 요구하는 금액을 주지 않으면 명도는 불가능할 것이라고 엄포를 놓았고, 그 모습에는 자신감마저 묻어 있었습니다. 제 눈에 비친 소유자의 태도는 누가 명도 대상자인지 분간하기 어려울 정도로 당당함 그 자체였습니다.

처음 만난 소유자의 당당함에 합의는 어렵다고 판단, 명도소송을 진행하면서 소유자를 중심으로 인도명령결정문을 집행권원으로 강제집행을 접수했습니다. 낙찰 받은 원·투룸형 다가구주택은 2개동 3층 규모였는데, 각각의 출입문에 '가101호' 식으로 표기돼 있어서 피신청인(피고)이 점유하는 것을 특정하는 데 큰 어려움은 없을 것으로 예상했습니다.

점유이전금지가처분 맹신은 명도 실패를 낳는다

명도소송을 제기하거나 인도명령을 신청할 때에는 그 선행절차로 '점유이전금지가처분'(이하 가처분)을 합니다. 소송 중 또는 강제집행 진행 시 피고(피신청인)가 변경되는 것을 방지하기 위해서입니다. 문제는 가처분이 만능이 아니라는 것입니다. 가처분을 한 장소의 점유를 이전하면 공무상비밀표시무효죄로 형사처벌을 받을 수 있지만, 이를 각오하고 점유를 제3자에게 이전하면 마땅히 대응할 방법이 없기 때문입니다.

최초 소유자(50대 후반의 아주머니로 혼자 거주하고 있었음)가 점유하는 곳은 '나동 301호'였습니다. 인도명령결정문으로 강제집행을 진행하기 위해서는 그 결정문이 피신청인에게 송달되었다는 송달증명서를 첨부해야 합니다. 소유자가 점유 중인 나동 301호로 송달을 했으나 송달불능 처리되어 주소보정명령이 나왔습니다. 수소문 끝에 소유자의 점유지로 밝혀진 곳은 '나동 303호'였고, 그곳으로 주소보정을 했으나 역시 송달불능 처리되었습니다.

낙찰 받은 물건이 다세대주택이 아니라 단독주택(다가구)이기 때문에 특정 호수 기재 없이 지번만으로도 전입신고가 가능하다는 것을 확인하고 나서부터 필자의 머나먼 '명도 불행여행'이 시작되었습니다.

이 소유자는 적당한 시점에 공실로 점유 장소를 옮기거나, 다른 호수의 임차인과 점유 장소를 바꿔가면서 특별송달까지 송달불능으로 처리되게 만들었습니다. 송달불능 처리가 되면 그 사유가 경매계에 보고됩니다. 총 4차례나 불능처리 된 후 공시송달을 신청했고, 이 신청이 받아들여져 겨우 송달증명을 받을 수 있었습니다. 여기에만 3개월이 소요되었습니다.

같은 기간 5명의 임차인에 대한 강제집행도 진행했는데, 겨우 한 곳만 집행이 완료됐습니다. 송달도 어려웠지만 강제집행 계고(언제까지 낙찰자에게 점유를 이전하지 않으면 강제집행을 실행한다는 최후 통보)를 하면 그 계고 기간 내에 다른 곳으로 점유를 이전하고, 강제집행을 하는 날이면 어김없이 해당 호수에 다른 점유자가 있게 하는 등 반복적으로 집행을 하지 못하게 만들었습니다. 원·투룸의 특성상 방 안에 가재도구가 많지 않기 때문에 가능했다고 볼 수 있습니다.

공무상비밀표시무효죄로 형사고소

가처분을 한 장소의 점유를 제3자에게 이전하면 형사처벌을 받게 되는데, 그 죄목이 '공무상비밀표시무효죄'입니다. 문제는 그 처벌 수위가 낮다 보니 심리적으로 압박하는 효과는 있지만 상대방이 형사처벌을 각오하고 점유를 이전하면 마땅히 대응할 방법이 없다는 것입니다.

실제 소유자와 임차인들을 상대로 동 죄목으로 처음 형사고소를 했을 때, 1개월 만에 결과가 나왔습니다. 그러나 임차인들은 임대인과 계약관계에 따른 것이라는 이유로 무혐의와 기소유예처분을 받았고, 소유자만 약식명령에 의해 벌금 80만 원의 가벼운 처벌을 받았습니다. 이 처벌에 피고소인(소유자)이 불복해 정식재판을 청구했고, 3개월에 걸친 정식재판 끝에 벌금액이 60만 원으로 감액되었습니다.

그 이후에도 소유자가 점유 이전을 반복한 탓에 재차 고소가 이어졌고, 결국 재판부는 상습성과 범행이 악의적이라는 점을 인정해 200만 원의 벌금을 선고했습니다. 저는 이에 불복해 항소 및 대법원 상고까지 했지만 모두 이유 없어 기각처리 되었고 시간만 무려 8개월이 경과해버렸습니다.

공무상비밀표시무효죄
형법 제140조(공무상비밀표시무효) ①공무원이 그 직무에 관해 실시한 봉인 또는 압류 기타 강제처분의 표시를 손상 또는 은닉하거나 기타 방법으로 그 효용을 해한 자는 5년 이하의 징역 또는 700만 원 이하의 벌금에 처한다.

멀기만 한 명도소송과 강제집행의 끝은?

대금을 납부하고 원룸과 투룸 36실중 두 곳을 인도받는 데 8개월 이상이 경과했으나, 명도소송(피고 25명) 진행은 여전히 지지부진했습니다. 우선 송달이 되어야만 그다음 변론기일이 잡히는데 악의적으로 점유 이전을 반복하는 피고들에게 대부분 송달불능이 되었고, 아예 전입신고도 하지 않은 일부 피고에게는 주소보정을 하는 것조차 어려웠습니다.

다수의 피고를 상대로 소송을 진행할 때에는 한 명에게라도 송달되지 않으면 전체 소송절차가 지연될 수밖에 없습니다. 소송지연을 방지하기 위해 변호사의 조언을 받아 주소보정이 극히 어려웠던 피고 10여 명에 대해서는 소송을 취하한 뒤 분리해 개인별로 다시 소송을 제기했습니다. 소송을 분리하면 사건 수 증가에 따라 변호사 수임료도 증가하고 시간도 지체될 수밖에 없습니다.

그렇게 1년여의 세월이 흘러가는 동안 특별송달과 공시송달을 통해 대부분 1차 변론기일이 잡혔습니다. 1차 변론기일에 피고들의 악의적이고 반복적인 점유 이전을 부각시켜 바로 결심공판을 하게 되었고, 2주 후에 선고기일이 잡혔습니다.

승소한 판결문(집행권원)의 무력함

대금을 납부하고 장장 1년 3개월 만에 집행권원(인도명령결정문과 명도 소송 판결문)을 손에 쥐게 되었습니다. 그러나 기쁨도 잠시, 앞으로 닥칠 일이 더 문제였습니다. 또다시 판결문이 피고들에게 송달돼야 하고, 몇 개월이 경과해 어렵게 송달증명을 받아도 강제집행을 할 수 있을지 걱정이 앞섰기 때문입니다. 그래도 불행만 이어진 것은 아닙니다. 재판부에서 판결문 송달은 발송송달(판결문을 발송하는 즉시 송달효력이 발생하는 송달로 도달주의의 예외)로 처리해주었습니다.

판결문에 송달증명(집행부여와 확정증명)을 첨부해 강제집행을 접수하고 계고를 갔지만, 우려한 대로 이미 피고들이 점유하는 곳은 모두 변경된 상태였습니다. 심지어 전 점유자(피고) 중 일부는 이미 이사를 갔고, 새로운 점유자가 보증금 없이 저렴한 월세만 내는 조건으로 입주한 곳도 있었습니다. 가처분을 한 곳의 점유자가 변경되면 '승계집행문'을 받아서 강제집행을 해야 합니다. 승계집행문을 받으려면 새로운 점유자의 인적사항을 알아야 하는데, 일부는 가능했지만 일부는 아예 인적사항을 확인할 수조차 없었습니다.

불법 외에는 대응방법이 없다

모르는 점유자의 인적사항을 알아내는 방법은 현장을 찾아가서 시빗거리를 만들고 경찰서(파출소)에 폭행(상해)이나 주거침입(퇴거불응) 혐의로 연행되는 것입니다. 경찰서에서 인적사항을 확인한 뒤 승계집행문을 받아서 강제집행을 시도하면, 소유자와 임차인들은 가동에서 나동으로, 202호에서 301호로 반복해 점유 장소를 이전하면서 숨바꼭질을 반복했습니다. 결국 저는 이 과정에서 폭행죄, 주거침입죄 등의 혐의로 5회가량 경찰서에 연행되기도 했습니다.

답답한 마음에 소유자와 임차인들이 일치단결해 대응하는 이유와 점유를 이전하는 장소를 파악하기 위해 직원을 임차인으로 위장시켜 빈 호수에 입주시키고 장기간 거주하게 한 적도 있습니다. 그들이 똘똘 뭉치는 이유는 월세가 저렴하다는 점도 있었지만, 점유를 이전해주면 한 달 정도 월세를 내지 않아도 됐기 때문입니다. 뭉치는 이유는 알아냈지만 점유 이전은 워낙 은밀하게 이루어지고 있어서 도저히 확인할 수가 없었습니다. 막대한 비용이 소요되고 장기간이 경과하면서 심신은 지칠 대로 지쳐갔습니다.

너무 힘들다 보니 마지막 카드로 소유자의 가족(딸, 사위, 당시 6세 손자 1명)이 사는 아파트를 알아냈고, 이들에게 위해(危害)를 가하려는 생각까지 해봤습니다. 소중한 가족에게 위해를 가할 수 있다는 것을 보여주면 명도가 수월할 거라고 판단했기 때문입니다.

선을 넘은 계획을 세우기까지 2년여의 세월이 흐르던 어느 날, 돌이킬 수 없는 끔찍한 범죄를 생각하고 있는 저 자신에게 놀라고 두려움마저 느끼면서 다시 냉정한 판단을 하게 됐습니다. 강제집행을 포기하고 합의하는 게 낫겠다는 생각이 들어 소유자를 찾아갔습니다.

애초에 제시했던 금액을 기준으로 다시 협의를 시도했습니다. 다행히 소유자도 사람인지라 경찰서와 민 · 형사 법정을 밥 먹듯이 드나들면서 지친 상태였습니다.

자신의 가족을 위해할 수도 있다는 소문도 들은 것 같고, 제가 협의를 요청하며 고개를 숙이고 합의안을 제시하자 그 안을 받아들여 8,000만 원에 합의했습니다. 합의서를 작성하고 1개월여 만에 점유를 이전받아 명도를 완료했습니다. 돈은 돈대로 들어가고 2년여의 기간 동안 고생한 것을 생각하면 비록 완료했다고는 하나 명백히 실패한 명도였습니다.

나만의 Tip

명도는 강제집행이 전부가 아닙니다. 협의를 통해 합의점을 찾아낼 수 있다면 그것이 진정한 명도입니다. 기간이 경과하는 것도 기회비용입니다. 진정한 명도는 상대방을 헤아릴 수 있는 협상력입니다. 불법은 절대 금물입니다. 돌이킬 수 없습니다.

과욕을 부리다 실패한 지분경매

의정부 5계

2016 타경 702389 **연립***

소재지	경기 연천군 전곡읍 전곡리 392-1,-4,-5 대삼주택 3동 3층 305호 (11025) 경기 연천군 전곡읍 전은길 9-41				
경매구분	강제경매	채권자	국OOOOO		
용도	연립	채무/소유자	김OO/김OOOO	매각기일	16.10.04 (15,519,000원)
감정가	**25,500,000** (16.03.28)	청구액	4,818,852	종국결과	16.12.27 배당종결
최저가	**12,495,000** (49%)	토지면적	전체 44.51 ㎡ 중 지분 22.3 ㎡ (6.7평)	경매개시일	16.03.17
입찰보증금	10% (1,249,500)	건물면적	전체 50.88 ㎡ 중 지분 25.44 ㎡ (7.7평)	배당종기일	16.06.07
주의사항	· 지분매각 특수件분석신청				
조회수	· 금일조회 **1** (1) · 금회차공고후조회 **56** (12) · 누적조회 **196** (16) ( )는 5분이상 열람 조회통계 · 7일내 3일이상 열람자 **4** · 14일내 6일이상 열람자 **1** (기준일-2016.10.04 / 전국연회원전용)				

* 필자가 낙찰 받은 지분은 현재 민사 및 형사 소송이 동시에 진행 중이고, 민감한 쟁점이 많아 실제 사건번호를 표기할 수 없어 동일한 내용의 다른 사건으로 설명합니다.

지분경매의 묘수

공유지분의 낙찰가율은 부동산 전체의 낙찰가율보다 낮은 것이 일반적입니다. 그러나 지분은 낙찰을 받더라도 현실적으로 명도가 어렵습니다. 이런 이유로 실무에서는 부당이득금반환청구소송과 공유자우선매수청구권 행사, 그리고 공유물분할청구소송 등 다양한 방법을 동원해 공유물 전체를 낙찰 받은 후 다음 절차에 착수합니다.

지분 취득 시 차후에 공유자우선매수청구권을 행사할 수 있다는 장점도 있지만, 지분경매의 꽃은 뭐니 뭐니 해도 가등기 설정 후 공유물분할경매를 진행하는 것입니다. 이미 낙찰 받은 자신의 지분에 선순위로 '매매예약으로 인한 소유권이전청구권가등기'(이하 순위보전가등기)를 설정하고 나서 공유물분할경매를 진행하면 수익을 배가시킬 수 있다는 장점이 있습니다. 하지만 이런 목적으로 선순위가등기를 할 경우 '통정허위표시로 인한 무효'에 해당될 수 있고, 특히 형사상 '경매방해죄' 등으로 처벌될 수 있으므로 각별히 주의해야 합니다.

공유물분할신청과 처분금지가처분

민법상 공유자는 공유물분할을 신청할 수 있습니다. 공유물분할은 협의분할이 원칙이고, 협의가 되지 않으면 재판상 분할청구를 해야 합니다. 지분을 낙찰 받으면 협의분할을 위해 다른 지분권자에게 연락을 취하는 게 기본입니다. '나의 지분을 사 가라' 또는 '너의 지분을 팔아라'로 시작해 '공유물 전체를 매도해 대금을 나누자'로 논의를 하게 마련이지만, 합의에 이르지 못하는 경우가 대부분입니다.

합의점을 찾지 못하면 그동안의 경과를 적어 내용증명을 보내야 하는데, 이는 재판상 분할절차를 신청하기 위해서입니다. 분할을 위해 협의를 시도했으나 실패했으니 재판상 분할을 청구한다는 취지로 관할법원에 '공유물분할신청'을 합니다. 재판 결과 간혹 '현물분할' 판결이 나올 때도 있지만 대부분은 '대금분할' 판결입니다.

이처럼 공유물분할소송을 진행하는 도중에 지분을 다른 사람에게 매도하는 것을 방지하기 위해 상대방 지분에 대해 처분금지가처분을 하는데, 이 가처분이 선순위이면 아주 효과적입니다. 왜냐하면 선순위 가처분은 특별매각조건으로 매수인이 인수하는 권리이기 때문입니다.

이 물건은 2회 유찰된 후 2016년 10월에 세 명이 경합해 '○○경매자산관리'에서 낙찰가율 60.9퍼센트에 낙찰 받았습니다. 지분이기 때문에 시가보다 30퍼센트가량 낮은 가격에 낙찰 받은 것으로 추정됩니다. 대금을 납부한 후 선순위 처분금지가처분과 순위보전가등기 등을 활용해 공유물 전체를 낙찰 받는다면 50퍼센트 이상의 고수익을 예상해볼 수 있습니다.

알고 계신가요? 특수조건 검색 서비스

지지옥션은 수익성 높은 경매물건을 찾는 회원들을 위해 '특수조건' 검색 서비스를 제공하고 있습니다. 용도, 지역, 감정가 등이 아닌 선순위가등기, 유치권, 법정지상권 등 특수한 조건이 걸린 경매물건을 찾고자 하는 분은 지지옥션 홈페이지에서 편리하게 검색이 가능합니다. 한 개의 특수조건만을 만족하는 물건을 찾을 수도 있고, 여러 개의 특수조건을 가지고 있는 물건 검색도 가능합니다.

현재 검색 가능한 특수조건은 선순위가등기, 유치권 등 입찰 대상 물건에 붙은 특수권리 외에도 NPL(Non Performing Loan, 부실채권), 임차인 없는 물건, 형식적 경매, 회원제보 물건 등 20개가 넘습니다.

의정부 16계
2017 타경 78069 **연립**

소 재 지	경기 연천군 전곡읍 전곡리 392-1,-4,-5 대삼주택 3동 3층 305호 (11025) 경기 연천군 전곡읍 전은길 9-41				
경매구분	형식경매(공유물분할)	채 권 자	한국경매자산관리		
용 도	연립	채무/소유자	/전용진외1	매각기일	18.11.21 변경
감 정 가	**51,000,000** (17.09.15)	청 구 액	0	다음예정	미정
최 저 가	**17,493,000** (34%)	토지면적	44.5 ㎡ (13.5평)	경매개시일	17.09.05
입찰보증금	10% (1,749,300)	건물면적	50.9 ㎡ (15.4평)	배당종기일	18.01.29
주의사항	· 선순위가등기 특수件분석신청 · 소멸되지 않는 권리 : 1. 갑구 13번의 갑구11번 한국경매자산관리주식회사 지분에 대한 가등기(2017. 1. 11. 접수 제453호)는 매각으로 소멸되지 않고 매수인에게 인수됨 · 2. 갑구 14번의 갑구1번 전용진지분가처분등기(2017.3.9. 접수 제2620)는 매각으로 소멸되지 않고 매수인에게 인수됨				
조 회 수	· 금일조회 **2** (1) · 금회차공고후조회 **35** (5) · 누적조회 **357** (51) ( )는 5분이상 열람 조회통계 · 7일내 3일이상 열람자 **3** · 14일내 6일이상 열람자 **0** (기준일-2018.11.21 / 전국연회원전용)				

공유물분할을 위한 경매신청과 선순위 순위보전가등기

지분을 낙찰 받은 후 공유물분할 재판에서 대금분할 판결을 받은 판결문이 있으면 어느 공유자(원고, 피고 모두)나 공유물분할을 위한 형식적인 경매를 신청할 수 있습니다. 경매신청 전에 자신의 지분에 선순위 순위보전가등기를 설정하는 것이 고수익을 올릴 수 있는 방법입니다. 선순위 순위보전가등기는 매각물건명세서상 매수인이 인수해야 한다는 특별매각조건이 붙어서 가등기의 진정성을 모르는 제3자는 입찰을 할 수 없고, 따라서 통상적인 경우보다 1~2회 정도 더 유찰될 수밖에 없습니다.

이 사건의 실제 매각물건명세서상 특별매각조건

1. 갑구 13번의 갑구 11번 ○○경매자산관리주식회사의 지분에 가등기(2017. 1. 11. 접수 제453호)는 매각으로 소멸되지 않고 매수인에게 인수된다.
2. 갑구 14번의 갑구 전○○ 지분 가처분등기(2017. 3. 9. 접수 제2620호)는 매각으로 소멸되지 않고 매수인에게 인수된다.

위 사건(2017타경 78069)은 앞서 '2016타경 702389' 지분경매를 낙찰 받은 공유자가 공유물분할을 위한 형식적 경매를 신청해 새로운 사건번호를 부여받아 진행 중인 건입니다. 이 물건은 선순위가등기와 가처분등기를 매수인이 인수한다는 특별매각조건이 붙어 세 차례나 내리 유찰됐습니다. 그러나 다른 공유자가 강제집행정지신청을 하고 진정서를 제출하는 바람에 현재는 4차 입찰이 진행되지 않고 일정이 변경된 상태입니다.

과욕을 부리면 지분경매도 실패할 수 있다

애초 지분을 30퍼센트 정도 저렴하게 낙찰 받았으므로, 과욕을 부리지 않고 2회 유찰되었을 때 공유물 전체를 감정가 대비 50퍼센트 선에서 낙찰 받았다면 전체 수익률이 약 50퍼센트를 초과하는 대박 물건이 될 수 있었습니다.

하지만 과욕이 화를 불렀습니다. 3회 유찰되어 최저가가 감정가 대비 절반(34.3퍼센트)에도 미치지 못하자(의정부지방법원은 1회 유찰 시마다 30퍼센트씩 저감) 다른 공유자가 들고일어났습니다. 선순위가등기, 가처분으로 인해 가격이 감정가의 3분의 1 가까이 떨어졌으므로 경매 절차를 정지시켜 달라는 강제집행정지신청서와 진정서를 경매계에 제출한 것입니다. 이를 수습하기 위해 경매신청채권자인 ○○경매자산관리도 어쩔 수 없이 연기신청서(2회)를 제출했습니다.

연기신청서를 제출했으나 때가 늦은 감이 있습니다. 다른 공유자는 선순위가등기가 진정한 매매 예약으로 인한 가등기가 아니라 채권자인 ○○경매자산관리에서 지인을 내세워 설정한 것이니, '통정허위표시'로 무효라고 주장하며 가등기말소청구소송을 제기한 것으로 추정됩니다. 선순위 가처분등기에 대해서도 그 피보전권리가 '공유물분할신청을 위한 것'이니 목적을 이미 달성해 효력이 없다고 주장할 것입니다.

더 나아가 선순위 순위보전가등기를 악의(통정)를 갖고 설정한 뒤 공유물분할경매를 신청해 저가에 낙찰 받으려고 했으므로 경매방해죄 혐의로 형사고소도 검토하고 있거나, 이미 고소장을 제출했을 수도 있습니다.

다른 공유자 또는 낙찰 받은 제3자가 가등기말소청구소송을 제기할 수도 있다는 것을 신청 채권자가 사전에 철저하게 대비하지 못했다면, 통정허위의사표시로 무효일 수 있어 패소할 가능성도 있습니다. 특히 순위보전가등기를 활용해 저가에 낙찰 받으려고 했다면 경매방해죄로 형사처벌 받을 가능성도 배제할 수 없는 상황입니다.

이 물건의 입찰을 검토하던 필자 역시 대금을 납부하자마자 신청 채권자가 배당금(지분에 해당하는 금액)을 찾아가지 못하도록 우선 채권가압류를 한 뒤, 가등기말소청구소송과 형사상 고소(경매방해죄)를 동시에 진행하려고 했었습니다.

민법
제108조(통정한 허위의 의사표시) ① 상대방과 통정한 허위의 의사표시는 무효로 한다.

형법
제315조(경매, 입찰의 방해) 위계 또는 위력 기타 방법으로 경매 또는 입찰의 공정을 해한 자는 2년 이하의 징역 또는 700만 원 이하의 벌금에 처한다.

그래도 지분경매는 매력덩어리

순위보전가등기 등을 활용할 경우 경매쟁이들에게 지분경매는 고수익을 창출할 수 있는 매력적인 물건인 것만은 틀림없습니다. 그러나 재야의 고수들이 선순위 순위보전가등기를 깰 수 있는 방법을 연구하고 있고, 수차례 유찰된 비슷한 유형의 사건 입찰을 적극적으로 진행하고 있으므로, 과욕을 부리기보다 수익률을 조금 낮추고 적당한 시점에 낙찰 받아 분쟁이 발생하지 않도록 대비하는 편이 현명할 것입니다.

나만의 Tip

1. 순위보전가등기를 설정할 때 준비 없이 지인을 활용할 경우 '통정허위표시 무효'일 수 있습니다. 그러므로 가등기를 설정할 때 제출하는 매매계약서는 진정한 의사표시로 작성하고, 계약금도 적법하게 교부하는 등 철저하게 준비해야 합니다.

2. 대출 등으로 인한 설정이 있으면 선순위가등기는 인수되는 권리가 아니기 때문에 이용할 수 없으므로 지분경매는 어느 정도 자금 여력을 갖추고 있어야 합니다.

분묘를 확인 못 해 입찰 보증금을 날린 임야

상주 2계

2007 타경 3324 **임야**

소 재 지	경북 문경시 산양면 신전리 59-1 도로명주소				
경매구분	임의경매	채 권 자	황OO		
용 도	임야	채무/소유자	김OO/김OO	매각기일	08.03.25 (85,120,000원)
감 정 가	**57,988,800**	청 구 액	60,000,000	종국결과	08.05.21 배당종결
최 저 가	**57,988,800** (100%)	토지면적	24,162.0 m² (7,309.0평)	경매개시일	07.06.22
입찰보증금	10% (5,798,880)	건물면적	0.0 m² (0.0평)	배당종기일	07.09.20
주의사항	· 분묘기지권 특수件분석신청				
조 회 수	· 금일조회 **1** (0) · 금회차공고후조회 **62** (3) · 누적조회 **138** (3) ( )는 5분이상 열람 조회통계 · 7일내 3일이상 열람자 **0** · 14일내 6일이상 열람자 **0** (기준일-2008.03.25 / 전국연회원전용)				

뜨거웠던 땅땅땅...

대통령 선거가 있던 2007년은 전국적으로 토지 열풍이 불던 시기였습니다. 유력 대권 후보가 공약으로 내건 '한반도 대운하 계획'이 강을 끼고 있던 전국의 모든 토지를 투기의 장으로 몰아넣었기 때문입니다.

일부 발 빠른 투자자들은 그해 봄부터 땅을 사 모으기 시작했고, 덩달아 경매시장에서 토지의 낙찰가율도 점점 올라갔습니다. 급기야 선거를 바로 코앞에 둔 가을쯤에는 맹지, 급경사, 묘지 등 활용이 어려운 곳을 제외하고 어지간한 곳은 낙찰가율이 100퍼센트를 넘을 정도로 토지에 대한 관심이 하늘을 찔렀습니다.

늦은 시간 임장이 화근

이 물건은 서울에서 두 시간 정도 거리에 위치한 조용한 시골 마을을 내려다보는 작은 동산입니다. 경사도가 완만하고 길도 있어서 마을과 연결은 되지만 간섭은 덜한 곳이었습니다. 외부에 분묘가 몇 기 보이기는 했지만 7,300여 평에 달하는 넓은 면적에 소재한 묘지 몇 기는 큰 문제로 보이지 않았습니다. 차후 묘지 소유자와 천천히 해결하거나 그냥 두어도 큰 지장은 없을 것 같다고 판단했습니다.

입찰을 결심하고, 입찰 전날 오후 늦게 처음으로 현장을 찾았습니다. 겉으로 보기에는 생각했던 것과 현장이 크게 다르지 않아 일단 마음이 놓였습니다. 산 안쪽까지 들어가서 더 자세히 보고 싶었지만 어두워진 시간이라 내키지가 않았습니다. 시골 마을이라 인적도 드물어서 물어보거나 탐문할 곳도 마땅치 않았습니다. 개운치는 않았지만 별 문제 없을 것이라 생각하고 거기서 발길을 돌린 게 화근이었습니다.

나를 놀라게 한 수십 기의 분묘

다음 날인 입찰일에 감정가 대비 175.5퍼센트라는 높은 가격을 써낸 덕에 9명의 경쟁자를 여유 있게 따돌리고 최고가 매수신고인이 되었습니다. 당시 법원 현장은 1억 원이 넘는 가격에 낙찰됐다는 소식에 술렁이기까지 했습니다. 술렁임을 뒤로하고 법정을 빠져나온 뒤 잔금을 납부하기 직전에 다시 현장을 찾았습니다.

현장에 도착하기 전까지 낙찰 받은 임야는 제 머릿속에서 호두나무가 우거진 우리 가족의 보금자리였습니다. 비록 상상 속이긴 했지만 수많은 장밋빛 미래를 실현시켜 주던 땅이 고통을 주는 애물단지로 급반전된 건 현장에 도착해 얼마 지나지 않아서였습니다. 울창한 나무 사이를 비집고 들어간 산속에 밖에서는 보이지 않던 봉분(분묘)들이 떡하니 자리하고 있는 게 아닙니까! 그 수도 수십 기에 달했고, 안으로 들어갈수록 봉분의 숫자는 늘어만 갔습니다.

휘청거리는 다리와 놀란 가슴으로 현장을 빠져나와 마을 이장님을 찾아 물어봤습니다. 이장님은 그 산이 수십 년 전부터 모 문중의 종중에서 관리하고 있는 선산이라 개인이 건물을 짓거나 농장으로 사용하는 것은 불가능하고, 묘를 이장하거나 개장하는 것도 쉽지 않을 거라고 말씀하시더군요. 그야말로 청천벽력이었습니다.

결국 눈물을 머금고 입찰 보증금을 포기할 수밖에 없었습니다. 한마디로 부실한 현장조사가 부른 참사였습니다.

지금 생각해보면 참으로 어이없는 실수가 아닐 수 없습니다. 그날 이후 저는 경매도 분위기에 휩쓸리지 말고 중심을 잘 잡아야 한다고 다짐하고 또 다짐했습니다. 경매물건은 많습니다. 경매법정은 오늘도 열리고 내일도 열릴 것입니다. 경매의 기본은 철저한 현장조사이고, 작은 것도 놓치지 말고 끝까지 조사해야 한다는 것이 수업료 580만 원을 지불하고 얻은 값진 교훈입니다.

나만의 Tip

토지, 특히 임야에 입찰하는 경우 위성사진만 보고 매입을 결정하는 사람들이 의외로 많습니다. 하지만 서류나 인터넷 지도상으로는 경사도, 토질, 수목의 종류나 수령 등을 확인할 수 없습니다. 특히 임야는 산속에 묘지가 있는 경우도 많기 때문에 철저한 임장조사가 필수입니다.

상가 소액보증금 우선변제 해주세요
보증금+월세X100 으로 계산-소액초과

지옥에서 탈출한 임상병리사

도전사례 1 '지하인 듯 지하 아닌' 상가

도전사례 2 경매 지식을 적극 활용한 지식산업센터

지옥에서 탈출한 임상병리사

최윤석

서울의 한 대학병원 임상병리학과에서 근무하다 경매를 접한 후 현재 자신의 회사를 운영 중인 전업투자자. 100대 1이 넘는 경쟁률을 뚫고 직장에 들어갔으나 엄혹한 현실의 벽을 처절하게 몸으로 겪어야 했다. 냉철한 투자 판단과 함께, 부동산을 수많은 사람과 법률 등이 얽혀 있는 '생물'로 보는 인문학적 소양도 지니고 있다. 지옥에서 탈출한 임상병리사가 주로 행복을 느끼는 경매 투자처는 지식산업센터다.

아침부터 열리는 '헬게이트'

아침 7시 20분부터 일은 시작됩니다. 책상을 소독하고, 쌓여 있는 피검사용 튜브를 원심분리 하고, 검사실 컴퓨터 전원을 켠 후 시약을 냉장고에서 꺼내 업무 준비를 합니다. 선배들은 오후 6시가 되면 퇴근하지만 신입인 저와 동기는 저녁 9시까지 '훈련 기간'이라는 명분으로 야근을 계속합니다. 물론 초과근무 수당은 없습니다.

점심 먹는 시간 15분 정도를 제외하고 하루 종일 좁은 검사실을 수십 바퀴 뛰어다닙니다. 퇴근 시간인 저녁 9시 정도가 되면 다리가 후들거리고 속이 메스꺼워집니다. 하지만 이게 끝이 아닙니다. 퇴근 10

분 전이 되면 검사실 전화벨이 울립니다. 술에 취해 한껏 흥이 오른 직장 선배의 목소리가 들립니다.

"어~ 최 선생, 나야. 지금 ○○노래방으로 와라."
"네. 지금 바로 가겠습니다."

동기와 달려간 노래방에서는 선배 몇 명이 거나하게 취해 노래를 부르고 있습니다. 우리가 불려 나간 이유는 그저 분위기를 띄우기 위한 것. 후들거리는 다리를 붙들고 맨 정신에 노래를 부릅니다. 선배들의 기분을 맞춰주다 보면 어느덧 밤 11시가 넘어갑니다. 노래방 기계에 남은 시간이 10분 정도인 걸 보고 '이제 집에 가서 씻고 누울 수 있겠지?'라고 위안을 삼습니다. 걱정하고 있을 어머니 얼굴이 머릿속을 스칩니다.

요청도 안 했는데 노래방 사장님이 서비스로 30분을 더 넣어줍니다. 속으로는 몹시 원망스럽지만 웃으면서 "사장님 최고!"라고 외칩니다. 노래방에서 나와 선배들의 술시중을 들며 영혼 없는 맞장구를 쳐줍니다. 제발 어서 이 시간이 지나가길 빕니다. 그때 선배가 이야기합니다.

"야, 우리 집 앞에 가서 딱~! 한 잔만 더 하고 가라. 너희가 마음에 들어서 그래."

거절할 수가 없습니다. 택시를 타고 집에 도착하니 새벽 4시입니다. 다행히 두 시간 정도는 자고 출근할 수 있을 것 같습니다.

전신 타이즈를 입은 조직의 부속품

대학을 졸업하고 들어간 첫 직장은 서울의 한 대학병원이었습니다. 수요보다 공급이 훨씬 많은 임상병리학과의 특성상 수많은 이력서 제출과 면접을 통해 어렵게 잡은 직장이었습니다. 100명이 넘는 지원자를 뚫고 합격한 곳이었기 때문에 애착이 갔고, 또 잘하고 싶었습니다. 부모님의 그늘에서 벗어나 내 월급으로 하고 싶었던 일도 마음껏 하고, 쉬는 날에는 여행도 다니며 독립적이고 멋진 직장인의 삶을 살 거라 생각했습니다.

하지만 현실은 제 기대와 딴판이었습니다. 일단 업무 시간이 일반 직장보다 훨씬 길었습니다. 보통 오전 7시 20분부터 저녁 6시까지 일했고, 입사 후 3개월 동안은 매일 저녁 9시까지 남아 추가 근무를 해야 했습니다. 검사실의 특성상 24시간 동안 업무가 지속돼야 하는데, 이때 야간 근무는 온전히 신입들의 몫이었습니다.

두 명씩 두 개 조를 이뤄 격일 출근을 했고, 평일에는 15시간, 주말에는 24시간 연속 근무를 서야 했습니다. 한 달에 자그마치 300시간 근무를 한 적도 있습니다. 특히 야간에는 모든 검사가 신속히 처리돼야 해서 긴장 속에 근무하다 보니 혈압이 오르고 건강은 나빠져만 갔습니다.

이뿐만이 아닙니다. 매년 연말이 되면 창피함을 무릅쓰고 사비를 들여 전신 타이즈나 우스꽝스런 복장을 사 입고 분장을 한 뒤 장기자랑까지 해야 했습니다. 군대보다 더 폐쇄적인, 시키면 무조건 해야 하는 권위적인 문화 때문에 몸과 마음은 지쳐갔습니다.

저는 거대한 병원 조직의 부속품일 뿐이었습니다. 그렇다고 그만둔다면 여기에 들어오고 싶어 안달 난 다른 사람을 뽑으면 그만이고, 제가 나가서 할 수 있는 일은 다른 병원에 가서 비슷한 사람들과 같은 일을 하는 것뿐이었습니다. 어떤 길을 준비해야 할지 많은 고민에 빠질 수밖에 없었습니다.

아버지의 권유로 경매에 입문

이때 사업을 하던 아버지가 말씀하셨습니다.

"사회에 나왔으면 부동산에 대해서는 어느 정도 알아야 해. 병원 다니면서도 공부할 수 있으니 사이버 대학교에 한번 다녀봐."

아버지의 우연한 권유로 저는 서울의 한 사이버대학에 입학했습니다. 그곳에서 어려운 부동산 용어들을 익히고, 시간 날 때마다 리포트를 작성하고 컴퓨터로 온라인 수업을 들었습니다. 처음 듣는 용어가 많아 어려웠지만 그래도 재미있었습니다.

이론 수업만으로는 부족한 것 같아 일주일에 한 번씩 오프라인 부동산 경매 수업을 들으며 공부에 매달렸습니다. 인천의 오피스텔 낙찰을 시작으로 평일에는 공부하고, 주말에는 현장을 다니고, 휴가를 이용해 법원에 입찰표를 제출하러 다니는 이중생활이 시작되었습니다. 이렇게 시작된 부동산 경매는 제게 다니던 직장을 그만둘 수 있을 정도의 경제력을 가져다주었습니다. 퇴사 후 월급쟁이 생활을 위해 다른 병원에 이력서를 내지 않아도 된 것입니다.

'지하인 듯 지하 아닌' 상가

인천 21계
2013 타경 93397[2] **아파트상가**

소 재 지	인천 서구 마전동 검단2지구59블럭 검단1차피오레 상가B동 지1층 B105호 [도로명주소]				
경매구분	임의경매	채 권 자	검OOO		
용 도	아파트상가	채무/소유자	이OO	매 각 기 일	14.11.11 (228,999,000원)
감 정 가	**250,000,000** (13.12.03)	청 구 액	364,433,093	종 국 결 과	15.01.21 배당종결
최 저 가	**175,000,000** (70%)	토 지 면 적	0.0 ㎡ (0.0평)	경매개시일	13.11.04
입찰보증금	10% (17,500,000)	건 물 면 적	40.5 ㎡ (12.3평)	배당종기일	14.01.20
주 의 사 항	· 유치권 · 대지권미등기 [특수件분석신청]				
조 회 수	· 금일조회 **1** (0) · 금회차공고후조회 **139** (31) · 누적조회 **309** (54) ( )는 5분이상 열람 [조회통계] · 7일내 3일이상 열람자 **13** · 14일내 6일이상 열람자 **3** (기준일-2014.11.11 / 전국연회원전용)				

상가는 단순 수익률이 아닌 안정성이 중요

매달 꼬박꼬박 월세가 들어오는 수익형 상가를 찾던 중 발견한 물건입니다. 처음에는 지하 1층이라 그냥 넘어갈까 했으나, 한번 살펴나 보자는 생각에 지지옥션 사이트에서 물건 번호를 클릭했습니다.

이 물건은 등기부등본상 지하 1층이지만 현장 사진을 보면 인도에서 바로 들어갈 수 있는, 실제로는 1층인 물건이었습니다. 아마도 클릭해서 자세히 보지 않았다면 저 역시 그냥 넘어갔을 터였습니다.

상가가 밀집한 건물을 보면 1층에는 작은 평형의 점포에 중개업소, 세탁소, 편의점, 핫도그 가게, 커피숍, 분식집, 소매점 등 다양한 업종이 들어와 있는 것을 볼 수 있습니다. 위와 같은 업종은 단순한 사업자 등록만으로도 누구나 어렵지 않게 영업을 할 수 있습니다.

이와 달리 2층은 식당, 3층은 병원, 4층은 학원, 그 위는 피트니스 센터나 태권도장, 고시원 등이 들어선 곳이 많습니다. 이러한 업종들은 영업허가·신고가 필요하거나, 면허가 있어야 하거나, '다중이용업소의 안전관리에 관한 특별법'을 지켜야 하는 등 진입이 쉽지 않습니다.

지하는 가시성이 극히 떨어지고, 공실이 나도 들어가서 영업을 하려는 임차인이 적기 때문에 피하는 편입니다. 물론 자신만의 특별한 영업 노하우가 있거나 수익 모델로 활용할 자신이 있다면 상관없습니다. 하지만 보편적으로 지하는 수익을 내기가 어렵습니다.

이에 비해 고층은 낙찰가, 매매가가 1층보다 저렴하기 때문에 임대수익률이 더 좋습니다. 하지만 몇 개월 혹은 몇 년간 비워진 채 방치된다면 수익률은 급격히 떨어지고, 새로운 주인을 만나기도 어려워 처분하기가 쉽지 않습니다. 대출 이자와 적지 않은 관리비를 납부해야 하는 부담이 생깁니다.

만약 상가 영업에 대한 지식이 별로 없다면 현재 영업 중인 임차인과 재계약이 가능한 물건으로 접근하는 것이 좋습니다. 임차인이 나가더라도 입점이 어렵지 않아 공실 발생 가능성이 적은 1층 위주로 접근하면 보다 더 안전할 것입니다. 계산기에서 나오는 단순 수익률보다는 중장기적으로 안전성을 택해야 상가 투자에서 더 오래 살아남을 수 있습니다.

항아리에 담긴 상가

이 물건은 인천 검단 2지구의 아파트 단지 내 상가였습니다. 사진과 감정평가서상 무인 빨래방을 운영하고 있는 것으로 보였습니다. 우선 지도를 보면서 이곳에 손님이 많이 올 수 있을지 예상해봤습니다. 북쪽 사거리에는 인천 지하철 2호선 마전역이 개통 준비를 하고 있었습니다. 동쪽은 7차선 도로로 막혀 있어 반대편의 빌라 인구가 이곳까지 넘어오기는 쉽지 않아 보였습니다. 서쪽에는 917세대, 남쪽에는 236세대의 아파트 단지가 있었지만, 두 곳 모두 단지 내 상가가 없어서 이곳을 많이 이용할 것으로 생각했습니다.

추후 마전역이 개통하면 출퇴근 동선상에 놓이기 때문에 유동인구는 늘어날 것입니다. 236세대 아파트의 남쪽은 산과 8차선 도로로 완벽하게 상권이 단절돼 있어 길을 잃지 않는 이상 이곳으로 넘어올 인구는 거의 없어 보였습니다. 남동쪽에 위치한 대형 마트는 걸어서 장을 보러 가는 사람이 많을 것으로 보였습니다.

종합해보니 1,153개의 배후 세대가 있고, 사방은 산과 도로로 막혀 있어 전형적인 항아리 상권이었습니다. 항아리 상권이란 상권이 확장되지는 않지만 인구가 다른 곳으로 빠져나가고 싶어도 나가기 어려운 구조로, 경쟁 상가가 들어올 자리가 없어 안정적인 수익을 얻을 수 있는 곳을 말합니다.

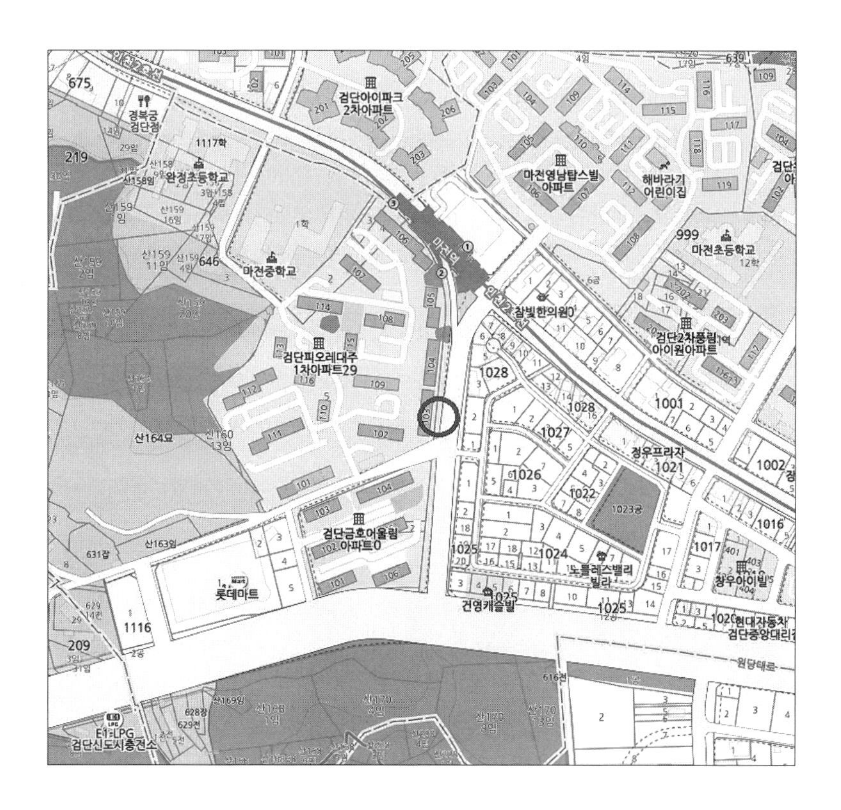

주변 인구는 마트나 음식점을 이용할 때 자동차나 대중교통을 이용하여 좀 더 멀리 갈 수 있겠지만, 세탁소나 편의점 같은 생활밀착 업종을 이용할 때는 이 물건과 같은 근거리 상가를 이용할 것이라 판단했습니다. 권리분석을 깊이 해볼 만한 물건이었습니다.

나만의 Tip

제가 가지고 있는 상가 투자 요령입니다.

- 임차인을 구하기 쉽고 가시성이 좋은 1층 상가를 공략하자.
- 지하층으로 기재돼 있어도 실제로는 1층이 아닌지 한 번 더 체크하자.
- 직접 영업할 목적인지, 임대를 주고 월세를 받을 목적인지 확실히 정하자.
- 임대를 줄 목적이라면 재계약을 할지, 명도 후 새로운 임차인을 들일지 정하자.
- 지도와 지적도, 개발계획을 통해 임장 전 상가의 가치를 예상하자.
- 특수물건이라고 쉽게 포기하지 말자. 의외로 간단히 해결되는 경우가 있다.

주의사항에 적힌 빨간 글씨

우선 건축물의 용도, 토지면적, 건물면적을 확인합니다. 건물면적은 12평으로 1층에 다양한 업종이 영업하기 좋은 소형 평수였습니다. 여기서 제가 말하는 면적은 건물 내 실측 면적인 '전용면적'입니다. '분양

면적' 혹은 '계약면적'과 혼동하면 안 됩니다.

그런데 토지면적이 '0평'으로 표기돼 있습니다. 뭔가 이상했습니다. 주의사항 난에 적힌 '유치권, 대지권 미등기'라는 빨간 글씨가 시선을 끕니다. 일단 이 특수권리는 잠시 뒤로 미뤄두고, 말소기준권리와 임차인 현황부터 살펴봤습니다.

접수일자	권리 종류	권리자	채권금액 예상배당금액	말소	비고
2007-09-03	소유권	이OO			
2007-10-08	근저당권	검단농협	460,000,000 226,970,580	말소	말소기준등기
2012-09-17	근저당권	이OO	180,000,000	말소	
2013-03-19	근저당권	김OO	160,000,000	말소	
2013-10-28	가압류	김OO 외 10	80,440,000	말소	
2013-11-04	임의	검단농협		말소	경매기입등기

등기사항전부증명서상 2007년 10월에 설정된 검단농협의 근저당권이 말소기준권리가 되고, 후순위 권리들은 모두 깨끗하게 소멸하는 것으로 보입니다. 임차인은 말소기준권리보다 전입일이 늦어 낙찰자에게 대항할 수 없었습니다. 그래도 배당을 받아 간다면 협상에서 우위를 차지할 수 있으므로 상가임대차보호법 적용을 받는 영세한 임차인인지 확인해봤습니다. 상가임대차보호법 대상인 경우, 민법보다 우

선해 대항력과 우선변제권, 소액보증금 중 일정액(최우선변제권)을 인정해주고 있습니다.

우선 그 기준이 되는 임차인의 환산보증금을 구해야 합니다. 해당 임차인의 환산보증금은 계산 결과 9,800만 원이었고, 최초 설정된 담보권인 근저당권 설정일은 2007년 10월 8일입니다. 근저당권 설정일을 기준으로 이 물건이 속한 '그 밖의 지역'의 상가임대차보호법 적용범위를 살펴보면 1억 4,000만 원입니다. 즉 이 임차인은 해당 법의 적용을 받을 수 있었습니다. 기본 요건을 충족했으니 이제 대항력, 최우선변제권, 우선변제권을 갖는 임차인인지 각각 확인해야 합니다.

대항력

말소기준권리인 검단농협의 근저당권이 설정된 2007년 10월 8일보다 늦게 사업자등록을 했기 때문에 낙찰자에게 대항할 수는 없었습니다.

최우선변제권

최우선변제액의 기준이 되는 2,500만 원보다는 높은 금액의 환산보증금이기 때문에 최우선변제 적용은 불가능했습니다.

우선변제권

사업자등록과 확정일자를 갖추고 배당요구종기일까지 배당요구를 하였으므로 우선변제권은 있으나 2013년 10월 28일에 등기된 가압류권자보다 순위가 늦어 의미가 없었습니다.

결국 이 임차인은 법원에서 배당받을 돈이 한 푼도 없었던 것입니다. '아니, 그럼 이 임차인은 피 같은 보증금 1,000만 원을 받지도 못하고 그냥 쫓겨나야 하는 건가? 만약 낙찰자에게 터무니없이 많은 이사비를 달라고 하면 어쩌지? 1,000만 원을 줄 순 없는데 도의적으로 500만 원이라도 드려야 하는 게 아닐까?'라고 생각하는 착한 분들도 있을 것입니다.

하지만 이런 걱정은 하지 않아도 됩니다. 우선 이 임차인은 대항력이 없어 인도명령으로 적법하게 강제집행이 가능한 명도 대상자입니다. 그리고 월세를 내는 임차인 대부분은 경매진행 사실을 알게 되면 그날 이후부터 건물주에게 월세를 지급하지 않습니다.

이 물건의 경우 임차인은 2013년 11월 경매진행 통지서를 법원으로부터 받았습니다. 이때부터 낙찰자가 잔금을 납부해 소유권을 취득할 것으로 예상되는 2014년 12월까지 1년 넘게 월세를 내지 않았을 가능성이 큽니다. 다시 말해 1년 치 월세(88만 원 × 12 = 1,056만 원)를 경매 진행을 핑계로 내지 않아서 보증금은 이미 환수했을 가능성이 컸습니다.

임차인이 신고한 유치권

매각물건명세서상의 '비고'란을 보면 공사대금채권으로 약 1,800만 원의 유치권 신고가 돼 있었습니다. 임차인이 직접 신고한 것을 보면 아마도 본인의 빨래방 영업에 필요한 시설 등을 공사하는 데 쓴 금액으로 보입니다. 하지만 더 정확한 사실 파악이 필요했습니다. 현장에 가보니 무인 빨래방인 탓에 임차인은 없었고 '기계 고장 시 연락 주세요. 010-9○○○-○○○○'라는 알림판만 붙어 있었습니다. 전화를 걸어봤습니다.

나 안녕하세요. OO빨래방 사장님 되시죠?

임차인 네, 맞아요.

나 이 상가 경매 진행 중인 건 알고 계시죠? 제가 이 상가를 낙찰 받으려고 하는데 유치권은 직접 신고하신 거예요? 공사를 크게 하셨나 보네요. 금액이 적지 않던데…….

임차인 (역정을 내며) 아 그럼요!! 제가 여기 빨래방 공사하느라고 들인 돈이 얼만데요. 인테리어 하고 세탁기 사고 건조기 사느라 돈이 억수로 들어갔는데, 갑자기 경매돼서 나가야 된다고 하더라구요. 그런데 뭐가 잘못됐나요? 그건 왜 물어보시죠?

나 아, 별 뜻은 없어요. 저는 이 상가 낙찰 받고 직접 장사할 생각이 없어요. 계속 임대를 놓고 월세만 받고 싶어서요. 사장님 나가시면 또 다른 분 찾아야

해서 중개비도 들어가니까 가능하면 재계약하고 싶거든요.

임차인 (급 차분한 목소리로) 아, 그래요? 사실 제가 여기 들어온 지 얼마 안 됐어요. 인테리어 비용이라도 뽑으려면 영업을 더 해야 하거든요. 여기저기 물어보니 유치권 신고하면 제 공사비 받을 수 있다고 해서 일단 유치권 신고를 했어요. 낙찰 받으면 정말 재계약 생각 있으신 거죠? 여기서 오래 장사하고 싶어요.

전화를 통해 재계약에 대한 긍정적인 생각을 확인할 수 있었습니다. 더불어 임차인이 자신의 영업에 필요한 시설을 설치하기 위해 시행한 공사는 유익비에 해당하지 않아 유치권이 성립하지 않는다는 판례(대법원 1991.8.27.선고 91다15591, 춘천지법 1992.4.22.선고 91가단3362)로 인해 유치권 성립 대상이 아니라는 것도 알 수 있었습니다.

허위 유치권 신고는 형법 제315조 '경매 · 입찰의 방해죄'에도 해당하기 때문에 인도명령과 더불어 형사처분이라는 두 개의 칼자루를 쥐게 된 것입니다. 낙찰 후 해당 법원 경매계에서 이해관계인 서류 열람을 통해 정확한 공사내역서를 확보한 후 인도명령 신청서를 작성하면 어렵지 않게 인도명령이 받아들여질 것임을 확신했습니다.

대지권 미등기도 해결

아파트(단지 내 상가 포함)나 오피스텔, 연립, 다세대 등과 같은 집합건물은 등기사항전부증명서상 표제부란에 '전유 부분의 건물의 표시'와 '대지권의 표시'가 함께 표기돼 있어야 건물과 토지의 권리를 모두 갖고 있다고 할 수 있습니다. 그런데 이 물건은 대지권을 찾아볼 수 없었습니다. 여러 가지 이유가 있는데, 분양 당시 건물분과 대지분에 대해 분양 대금을 완납했음에도 아직까지 서류상으로만 대지권이 표시되지 않은 것으로 파악되었습니다.

이런 건을 낙찰 받으면 당연히 건물과 토지의 소유권은 낙찰자에게 귀속되고, 등기를 하고 싶다면 법무사를 통해 대지권 등기를 하면 그만입니다. 하지만 이곳 단지 내 상가들이 모두 대지권 미등기 상태에서 거래되고 있었기 때문에 굳이 비용을 들여가며 등기를 할 필요는 없어 보였습니다. 권리분석을 통해 낙찰 후 인수해야 할 금액이나 권리가 없다는 확신이 섰으니, 다음으로는 입찰 금액을 산정할 차례였습니다.

경매물건 중에서도 월세를 받는 수익형 부동산은 사전에 대출이 어느 정도 나오는지, 금리와 월세를 비교해 순수익은 얼마나 되는지를 파악해야 합니다. 인근 중개업소를 통한 사전조사 결과 분양가는 3억 원이었고 보증금 2,000만 원, 월세 100만 원에 계약이 가능하다는 점을 확인했습니다.

이 상가는 현재도 보유 중입니다. 항아리 상권의 특성상 공실은 없고 임대가와 매매가가 서서히 상승해 효자 노릇을 톡톡히 하고 있습니다.

알고 계신가요? '예상 대출금' & '예상 임대료' 서비스

부동산 투자의 관건은 금융을 얼마나 잘 이용하느냐입니다. 낙찰 받은 부동산을 담보로 대출을 받아 잔금을 마련하는 '경락잔금 대출'을 잘 활용하면 지렛대 투자로 수익률을 높일 수 있으며, 또 다른 투자로 이어질 수도 있습니다. 갈수록 부동산 담보대출 관련 규제가 엄격해지면서 응찰하기 전에 대출 한도와 금리에 대해 알아보는 것은 커다란 경쟁력이 됩니다.

이를 위해 지지옥션은 상세페이지 화면에서 예상 대출 가능액을 알려드리는 '예상 대출금' 서비스를 제공하고 있습니다. 각 물건별로 지역과 감정가가 자동으로 입력된 뒤 대출 가능 여부를 알려주며, '설정변경' 버튼을 누르고 자신의 상황에 맞게 내용을 바꿔 입력하면 다시 결과를 볼 수 있습니다. 대출이 가능하다면 주택종류, 대출기간, 상환방식, 금리방식 등 원하는 조건을 선택해 각 금융기관별로 금리와 월 상환금액도 미리 확인할 수 있습니다.

예상 대출금 서비스와 함께 지지옥션은 수익형 부동산의 '임대료 예측 서비스'도 제공하고 있습니다. 예상 대출금과 예상 임대료 모두 경매물건의 상세페이지에서 쉽고 편리하게 확인이 가능하니, 상가를 낙찰 받아 임대하고자 하는 분들은 꼭 살펴보시기 바랍니다.

수익률

낙찰가(부대비용 제외) : 228,999,000

대출 총액 : 206,000,000

임대 보증금 : 20,000,000

연간 대출 이자 : 8,240,000

연간 월세 수입 : 12,000,000

[(12,000,000 − 8,240,000)/(228,999,000 − 20,000,000 − 206,000,000)] × 100 = 125.4%

경매 지식을 적극 활용한 지식산업센터

수원 2계
2016 타경 3989[1] **아파트형 공장**

소 재 지	경기 용인시 기흥구 영덕동 1029 유-타워 27층 2706호 (16950) 경기 용인시 기흥구 흥덕중앙로 120				
경 매 구 분	강제경매	채 권 자	박OO		
용 도	아파트형공장	채무/소유자	프OOOOOO	매 각 기 일	16.08.19 (317,990,000원)
감 정 가	**352,000,000** (16.02.24)	청 구 액	21,177,364	종 국 결 과	16.11.22 배당종결
최 저 가	**246,400,000** (70%)	토 지 면 적	38.1 ㎡ (11.5평)	경매개시일	16.02.11
입찰보증금	10% (24,640,000)	건 물 면 적	99.9 ㎡ (30.2평)	배당종기일	16.04.25
조 회 수	· 금일조회 **1** (0) · 금회차공고후조회 **118** (24) · 누적조회 **266** (44) ( )는 5분이상 열람 조회통계 · 7일내 3일이상 열람자 **9** · 14일내 6일이상 열람자 **4** (기준일-2016.08.19 / 전국연회원전용)				

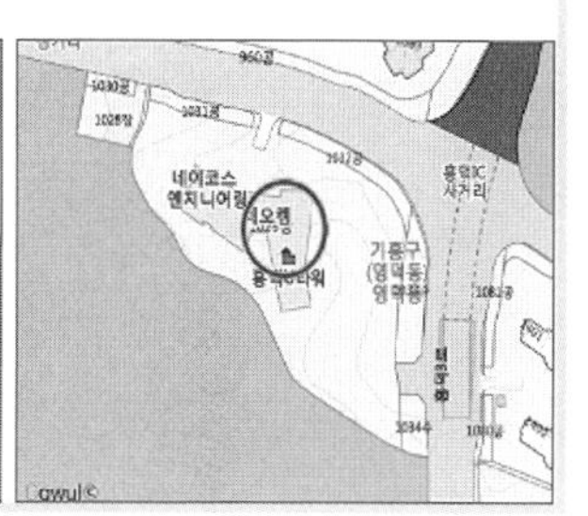

지식산업센터에 도전하다

계속되는 저금리 기조로 예금 금리가 내려가자 월세를 받을 수 있는 상가의 입찰 경쟁률은 높아져 갔습니다. 상가를 대체할 만한 다른 물건을 찾아보다 지식산업센터 경매물건에 도전해보기로 했습니다.

과거 '아파트형 공장'으로 불리던 지식산업센터는 아파트처럼 거대한 건축물이 여러 개의 개별 호수로 나뉘어 있습니다. 주거 목적이 아닌 소규모 공장, 제조업, 벤처기업, 금융, 업무지원 시설 등 다양한 업종이 영업을 할 수 있는 곳입니다.

유사 업종이 한곳에 모여 있어 업무 연계성이 좋고 넓은 주차 공간과 편리한 교통망, 각 호별 개별 냉난방 등으로 쾌적한 업무 환경을 제공합니다. 무엇보다 입주 기업에게는 취득세 및 재산세 감면과 일정 기간 동안 법인세 면제라는 혜택이 있어 일반 상가에 비해 중소기업들의 선호도가 높습니다.

이 물건은 34층 규모의 초고층 지식산업센터로 입찰 당시 입주한 기업 수가 380여 개, 상주 인원은 약 3,000여 명에 달했습니다. 인근에 삼성전자 수원사업장이 위치하고, 용인-서울고속도로 흥덕IC를 통해 강남권 접근이 용이했습니다. 경부고속도로, 서해안고속도로 등을 이용한 주변 도시와의 연계성도 좋은 곳이라고 판단해 입찰을 결심했습니다.

지식산업센터도 아파트와 마찬가지로 주변에 있는 비슷한 물건의 입주 물량이 시세에 영향을 미칩니다. 현재의 임대 가격으로 수익성을 속단하지 말고, 인근에 짓는 새로운 지식산업센터 물량이 임대에 악영향을 끼치지 않을지 꼼꼼히 분석해야 합니다.

임대 불가 vs. 임대 가능

지식산업센터가 경매 진행된다면 주의할 점이 있습니다. 낙찰 후 임대가 불가능한 경우도 있고 가능한 경우도 있기 때문입니다. 인근 중개업소나 관리사무소에 알아보는 것도 한 방법이지만, 정확하게 확인해야 실수 없는 투자가 됩니다. 한 번의 실수로 열 번 치의 수익이 날아갈 수 있는 것이 부동산 투자임을 잊지 말아야 합니다.

건축물대장상 건축물의 용도가 '지식산업센터' 혹은 '아파트형 공장'으로 돼 있는 물건이라면 우선 '토지이용계획확인원'을 살펴봐야 합니다. 인터넷에서 '토지이용규제정보서비스(http://luris.molit.go.kr)'를 검색해 해당 물건 주소지를 입력 후 확인해도 되고, 지지옥션 사이트의 '바로가기'를 클릭해 주소 입력 없이 간편하게 확인할 수도 있습니다.

금천구 가산동의 아파트형 공장 토지이용계획확인원 내용 중 '지역지구 등 지정여부' 항목 아래 '다른 법령 등에 따른 지역 · 지구 등' 난을 보면 '국가산업단지〈산업입지 및 개발에 관한 법률〉'이라고 표기된 것을 알 수 있습니다.

<table>
<tr><th>소재지</th><td colspan="3">서울특별시 금천구 가산동 일반 60-25</td></tr>
<tr><th>지목</th><td>공장용지</td><th>면적</th><td>8,054㎡</td></tr>
<tr><th>개별공시지가(㎡당)</th><td colspan="3">2,972,000원(2018/01)</td></tr>
<tr><th rowspan="2">지역 · 지구 등 지정 여부</th><td>「국토의 계획 및 이용에 관한 법률」에 따른 지역 · 지구 등</td><td colspan="2">도시지역, 준공업지역,
일단의 공업용지조성 사업지역</td></tr>
<tr><td>다른 법령에 따른 지역 · 지구 등</td><td colspan="2">국가산업산지
〈산업입지 및 개발에 관한 법률〉</td></tr>
</table>

이와 달리 용인시 기흥구 지식산업센터 토지이용계획확인원의 같은 곳에는 '국가산업단지'라는 표기가 없습니다.

소재지	경기도 용인시 기흥구 영덕동 일반 1029		
지목	공장용지	면적	25,486㎡
개별공시지가(㎡당)	1,945,000원(2018/01)		
지역·지구 등 지정 여부	「국토의 계획 및 이용에 관한 법률」에 따른 지역·지구 등	도시지역, 준주거지역, 제1종지구단위계획구역, 대로2류(폭 30~35m)(주간선도로)(접합), 중로1류(폭 20~25m)	
	다른 법령에 따른 지역·지구 등		

가산동처럼 산업단지(국가산업단지, 일반산업단지, 도시첨단산업단지 및 농공단지) 내의 지식산업센터는 '산업집적활성화 및 공장설립에 관한 법률' 제28조와 제38조에 의거, 입주와 임대 등에 규제를 받기 때문에 정해진 업종만 입주가 가능하며, 개인투자자가 임대업을 하기가 어렵습니다. 반면 용인과 같은 산업단지 외의 지식산업센터는 개인에 의한 임대업도 가능하므로, 낙찰 후 목적이 투자인 분들은 이와 같은 산업단지 외 물건을 낙찰 받는 것이 좋습니다.

산업단지 내의 물건이라도 편법 혹은 불법적인 방법으로 투자가 가능하다는 사람도 있겠지만, 투자의 세계에서 오래 살아남고 싶다면 기본적인 법의 테두리 안에서 투자하는 것이 좋습니다. 입찰 전에는 물건지 소재 시 · 군 · 구청에 전화로 한 번 더 확인하는 것을 잊지 말아야 합니다.

개인 명의로 낙찰을 받아 합법적으로 기업과 임대차계약을 맺은 경우, 입주 기업(임차인)은 월세를 필요경비 처리하고 부가세를 환급받는 경우가 많아 임대인은 사업자등록을 해야 합니다. 이 경우 기존 소득과 합산되어 종합소득세와 각종 보험료가 인상될 수 있습니다.

나만의 Tip

지식산업센터 투자 요령입니다.

- 개인이 낙찰 받아 임대업을 할 수 있는 물건인지 확인하자.
- 인근의 신규 지식산업센터 분양 물량을 확인해 임대가 하락을 피하자.
- 대형 산업단지 인근이나 교통 흐름이 좋은 곳을 택하자.
- 임대인은 사업자등록을 해야 한다.
- 개정된 상가임대차보호법의 적용을 받아 대항력이 인정되는 경우를 확인하자. 이는 사업자등록을 하고 영업 행위를 할 수 있는 모든 건축물에 해당하는 사항이다.

상가임대차보호법 개정 내용 알아야

등기부등본 현황을 보면 2012년 1월 5일에 설정된 중소기업은행의 근저당권을 기준으로 후순위의 모든 권리는 말소되는 것을 확인할 수 있습니다. 임차인의 환산보증금은 1억 9,000만 원이었습니다. 상가임대차보호법 적용 관련, 2012년 기준 용인시는 1억 8,000만 원 미만이므로 이 임차인은 적용 대상이 아닙니다. 이에 따라 대항력, 우선변제권, 최우선변제권 모두 없습니다.

임차인의 경우 잔금 납부 후에는 인도명령 대상이지만, 시세에 맞춰 계약이 가능하다면 재계약을 유도하는 것이 좋습니다. 단, 2015년 5월 13일 이후에 말소기준권리보다 먼저 사업자등록과 함께 건물을 인도받은 임차인은 한도를 초과하더라도 대항력을 인정받도록 상가임대차보호법이 개정되었으니 주의해야 합니다.

2013년 8월 13일 이후로는 환산보증금과 무관하게 5년간 계약갱신요구권이 인정되고, 2018년 10월 16일 이후에는 10년이 인정됩니다. 경매 진행 시에는 대항력이 있는 경우 임차인이 종전의 계약일을 기준으로 계약갱신요구권을 행사할 수 있다는 점도 알아둬야 합니다. 인근 중개업소에 문의한 결과 시세는 보증금 2,000만 원, 월세 170만 원 정도였습니다. 기존에 입주해 있던 기업과 재계약을 해 공실 기간을 없앴습니다.

수익률

낙찰가(부대비용 제외) : 317,990,000

대출 총액 : 286,000,000

임대 보증금 : 20,000,000

연간 대출 이자 : 11,450,000

연간 월세 수입 : 20,400,000

[(20,400,000 − 11,450,000)/(317,990,000 − 20,000,000 − 286,000,000)] × 100 = 125.4%

고용주가 아닌 자신이 원하는 삶

경매 투자, 최근 붐을 일으켰던 아파트 갭 투자, 토지 투자 등 모든 분야를 막론하고 본인만의 확고한 기준도 없이 남이 추천해주는 부동산에 투자하면 안 됩니다. 운동화 한 켤레를 사더라도 매장을 방문해 여러 사이즈를 신어보고, 걸어보며 발이 불편하진 않은지, 신발이 마음에 든다면 더 저렴하게 파는 곳은 없는지 몇 시간 동안 검색하게 마련입니다.

그런데 소위 전문가라고 하는 사람에게 추천받은 부동산은 수천만 원 이상의 투자금이 소요되는데도 고작 10분쯤 고민한 뒤 덜컥 매입을 결정하는 경우가 많습니다. 분명 그 전문가는 한 사람에게만 추천하지 않았을 것입니다. 누군가에게 추천받은 물건은 다른 이들에게도 추천된 것입니다. 진짜 수요가 아닌 가짜 수요가 달라붙어 가격이 올라가서 높은 가격에 매입하면 당연히 수익률은 곤두박질칠 수밖에 없습니다.

암호화폐나 주식의 투자 수익률이 상당히 높은 것은 맞습니다. 하지만 이들 투자 수단은 이익과 손해를 예측하기가 어려워 위험 부담이 매우 큽니다. 돈을 벌어도 그 이유를 알지 못하며, 왜 손해가 발생했는지도 알 수 없습니다. 노력과 수익이 비례하지 않는 것입니다.

본인의 노력과 고민이 없으면 위험에 대처할 수가 없습니다. 남의 능력을 이용해 대충 쌓은 탑은 순식간에 무너지게 마련입니다. 직장생활을 하며 어렵게 모은 쌈짓돈을 이렇게 한순간에 날려버리고 나면 '재테크는 나와 안 맞는구나. 그냥 월급이나 꼬박꼬박 모아야지'라며 미래의 자신이 아닌 고용주가 원하는 인생을 살게 됩니다. 착하고, 시키는 일 잘하고, 가족보다는 직장이 우선인 그런 인생을요.

부동산 투자는 정직합니다. 수익과 노력이 비례합니다. 물론 초반에는 원하는 만큼 수익이 나지 않고 좌충우돌 많은 시행착오를 겪어야 합니다. 그러나 이때의 경험은 오롯이 자신만의 주춧돌이 되고, 이는 누구도 쉽게 빼앗을 수 없습니다. 자전거 처음 배울 때를 기억해보세요. 넘어지고 다치지만 그 시기를 지나 익숙해지고 수월하게 자전거를 타게 되면 걷는 사람보다 빨리 목적지에 다다를 수 있습니다.

시, 군, 구마다 어떠한 지리적 · 인문적 특징이 있는지 공부하고, 공급 물량을 토대로 전세가와 매매가를 예상하며 지역 선정을 할 수 있는 눈을 키워야 합니다. 평범한 경매물건을 낙찰, 명도, 임대, 매도하며 여러 기술을 익힌 뒤 초급자들이 쉽게 접근하지 못하는 까다로운 물건을 해결하는 능력을 키워나가면 수익률이 점점 상승하게 됩니다. 이는 설계와 기초공사가 탄탄해 오랜 시간이 지난 후에도 흔들리지 않는 튼튼한 건축물을 짓는 것과 같습니다.

부동산은 살아 있는 생물이다

미국 금리 상승에 맞춰 한국은행의 기준금리도 오를 것입니다. 2012년 이후 처음으로 본격 상승을 앞둔 기준금리는 부동산 소유자와 투자자 모두에게 서서히 부담으로 다가올 것이고, 이자를 감당하지 못한 우량 물건들이 경매시장에 나올 가능성이 높아집니다. 시중은행 금리와 별반 차이가 없는 수익률을 보이는 오피스텔이나 상가 분양 시장은 찬바람이 불 것입니다.

여전히 광역시나 지방 대도시 중에서 학군은 좋지만 공급이 부족한 지역의 주거용 물건의 경우 상승 여력이 충분한 곳이 많습니다. 법정지상권, 공법이 얽힌 토지, 농지, 수도권 외 지역의 지분경매 등은 입찰 경쟁률이 높지 않고, 문제를 푸는 능력에 따라 가치를 크게 올릴 수 있습니다.

부동산은 여러 가지 법령과 사람이 얽혀 있어 살아 있는 생물과도 같습니다. 이를 온전히 이해하는 데 적지 않은 시간이 걸리겠지만, 부동산 투자는 평생 해야 하는 제2의 직업이라 생각하고 천천히, 차근차근 배워가며 한 걸음씩 나아가는 것이 중요합니다. 첨언하자면, 이론도 중요하고 실전도 중요한 것이 부동산 투자인데 스터디 활동을 빙자한 잦은 술자리는 부동산 재테크라는 장기전에서 하등의 도움이 되지 않습니다.

2010년 함께 부동산 경매를 공부하던 수십 명의 동기들 중 대부분은 부동산 시장을 떠나갔습니다. 이들과 달리 제가 지금껏 포기하지 않고 느리지만 꾸준히 이 길을 걸어올 수 있었던 것은 명확한 목표가 있었기 때문입니다. 성공했다고는 전혀 생각하지 않지만 그렇다고 실패할 것이라고 생각하지도 않습니다.

당장 공부하고 실전에 적용하며 부동산 투자를 제2의 직업으로 삼아 경제적인 자유를 향해 꾸준히 나아갔으면 하는 바람입니다.

지금은 독립적인 전업투자자

경매를 시작하고 나서 9년간 낙찰 받아 처리한 물건이 40여 건 정도 됩니다. 여러 종류의 부동산을 취득해 운영 및 매매를 해볼 수 있었고, 숱한 명도 과정을 겪으며 여러 부류의 사람도 만나보았습니다. 이 과정에서 수익도 챙길 수 있었고 여러모로 성숙해질 수 있는 시간이었습니다.

손대긴 쉽지만 그만큼 경쟁이 심한 아파트, 오피스텔 같은 집합건물 시장에만 머물고 싶지 않아서, 시간이 허락할 때마다 공법 경매, 특수물건, 셀프 소송, 상가, 농지, 임야 경매 등을 배우며 시야를 넓혀가는 중입니다. 앞으로도 이러한 노력은 계속될 것입니다.

지금은 부동산 전업투자자로서 그 누구의 눈치도 보지 않고 저만의 회사를 설립해 온전히 하고 싶은 일에 매달리며, 독립적인 하루하루를 보내고 있습니다.

무인도에 살어리랏다?

지지옥션이 제공하는 경매 통계는 대개 주거시설, 업무/상업시설, 토지, 공업시설 등 4가지 카테고리의 부동산 용도별로 구분됩니다. 카테고리 또는 해당 카테고리 내 세부 용도에 따라 많은 차이점이 존재하지만, 사람이 살거나 이용하기 위한 것이라는 점에는 차이가 없습니다. 결국 사람을 떠나서는 경매를 생각하기가 어렵다는 뜻입니다.

생각이 여기까지 이르게 되면 무인도는 경매시장에 나오지도 않고, 낙찰되지도 않을 거라 생각하기 쉽습니다. 하지만 우리의 생각과 달리 경매시장에 무인도가 종종 나오고 있으며, 나오는 족족 낙찰이 될 정도로 인기도 많습니다.

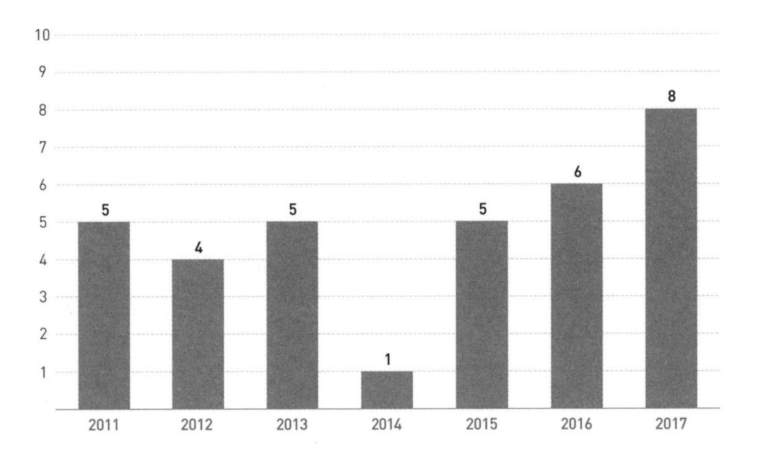

위의 차트는 연도별로 경매가 진행된 무인도 건수를 정리한 것입니다. 아시다시피 부동산 구분에 '무인도'는 없습니다. 이 차트는 '토지'로 분류된 물건 중 감정평가서상에 '무인도'라고 표기된 것만 따로 정리한 것입니다. 소폭이긴 하지만 2015년부터 경매시장에 나오는 무인도가 전년 대비 계속 증가하고 있습니다.

2011년 이전에는 무인도가 낙찰되는 사례가 그리 많지 않았습니다. 그러나 2011년 이후에는 거의 대부분 낙찰되고 있습니다. 2011~2018년 총 34건의 무인도 중 취하, 기각으로 낙찰되지 못한 것은 단 2건에 불과할 정도입니다. 삭막한 도시를 떠나 무인도에서 자신만의 시간을 보내기 위한 수요가 늘어나고 있는 것일까요? 그나저나 법원으로부터 무인도 감정을 의뢰받은 감정평가사는 어떻게 무인도까지 찾아가고, 가치를 평가하는지 궁금하네요.

경매신청 유치권을 소멸되는 것으로 오해

사건개요

• 사건번호 : 2017타경 514021(인천 26계)
• 감정가 : 2억 4,700만 원
• 키워드 : 유치권, 경매신청, 소멸, 인수

이슈

이 물건을 꼼꼼하게 들여다보면 이상한 점이 하나 보입니다. 아파트명이 '보미리즌빌'(보미건설 브랜드)인데, 경매를 신청한 채권자인 보미건설에서 유치권을 신고했다가 철회한 것입니다.

집행관 현황조사내역을 보면, '출입문에 유치권 행사를 알리는 경고문이 부착되어 있고, 문은 외부에서 봉인되어 있으며, 유치권자는 주식회사 보미건설로 기재되어 있다'는 내용이 있습니다. 즉 시공사로 추정되는 건설사에서 점유하고 있고, 유치권을 신고했다가 철회했다는 점에서 입찰하기 전에 유치권으로 인한 피담보채권액을 낙찰자가 인수할 수도 있다는 의심을 했어야 합니다. 여기서 일반인들이 착오를 일으킬 수 있는 부분이 바로 유치권자가 신고 후 이를 철회했으니 유치권이 성립하지 않을 것으로 여길 수 있다는 점입니다.

그러나 유치권 신고를 철회한 것과 포기한 것은 법적 효과 면에서 전혀 다른 얘기입니다. 유치권은 포기할 수 있는 권리이므로 철회서에 포기한다는 내용이 포함되어 있는 경우에만 유치권이 성립할 수 없습니다. 다만 단순히 철회서만 제출하고 포기한다는 내용이 포함되어 있지 않은 경우, 유치권자가 점유를 상실하지 않는 한 유치권은 성립할 수 있습니다.

시사점

유치권을 포기하는 것과 철회한다는 것은 법적으로 전혀 다른 내용이므로 철회서에 포기한다는 내용이 있는지 확인해야 합니다. 아울러 유치권자가 임의경매를 신청하면 소멸되지만, 강제경매 신청 후 배당받지 못한 피담보채권액은 낙찰자가 인수하므로 반드시 확인이 필요합니다.

경매
매각허가
확정일부터
30일 이내
3천만원
이하 7일
이내
공매
3천만원
이상 30일
이내

경·공매를 동시에 주무르다

도전사례 1 경·공매 콜라보를 보여준 지분 상가

도전사례 2 '지분은 헐값, 완전체는 금값' 지분 토지 공략

경·공매를 동시에 주무르다

경인강

부동산 중개업소를 거쳐 법무사, 변호사 사무소에서 경매 업무를 섭렵한 뒤 현재는 경매 법인을 운영 중이다. 컴퓨터 대리점을 그만두고 부동산에 입문할 당시, 부모님의 심한 반대에도 매수 · 매도자 모두에게 이익을 주면 된다는 생각에 밀어붙였다. 동시에 진행되는 경매와 공매 사건을 유리하게 주무르면서, 많은 사람들이 꺼리는 공유자 지분 문제를 멋지게 해결해 저렴하게 취득하는 데 탁월한 노하우를 보유하고 있다.

잘나가던 컴퓨터 판매 대리점을 그만두다

2002년 온 나라가 월드컵으로 들썩일 때 저는 다른 이유로 긴장할 수밖에 없었습니다. 부모님이 소유한 건물이 경매 직전까지 갔기 때문입니다. 다행히 기각으로 사건이 종결되면서 가슴을 쓸어내렸습니다.

당시에 저는 컴퓨터 판매 대리점을 운영하고 있었습니다. IMF 사태가 터지고 얼마 지나지 않았던 때라 건물 소유자들이 상당히 힘든 시간을 견뎌야 했습니다. 경매 입찰을 하는 사람들에 대한 인식 역시 상당히 좋지 않았던 시절로 기억됩니다.

컴퓨터 대리점 운영으로 바쁜 시간을 보냈지만 점점 한계를 느끼고 있었습니다. 컴퓨터는 아무리 많이 팔아도 대당 금액이 한정돼 있는 반면, 부동산은 매매 시 상한선이 정해져 있지 않아 그 차액이 상당히 크다는 것을 알게 됐습니다.

처음 부동산을 시작할 때는 부모님의 반대가 무척 심했습니다. 부동산에 대해 좋지 않은 선입관을 갖고 있던 부모님은 전에 하던 학원 강사나 컴퓨터 대리점이 아닌 왜 하필 부동산이냐고 반대했습니다. 이에 저는 부동산을 매도하는 사람에게는 매매 대금을 많이 받을 수 있도록 해주고, 매수하는 사람에게는 미래 가치 대비 싸게 사주도록 하면 좋지 않을까라는 생각을 했습니다. 더불어 부동산과 부동산 종사자에 대한 선입관도 바꾸겠다는 생각으로 열심히 했습니다.

경매로 방향을 전환하다

당시 제가 활동하던 이천 지역에는 2003년부터 2007년까지 부동산 광풍이 불었습니다. 부동산에 대한 이해가 없어도 부동산을 구매하고자 하는 손님들이 줄을 섰습니다. 당시 판교에서 토지 보상을 받은 사람들이 대토(代土)를 하기 위해 가까운 경기도 광주시를 찾았으나, 그곳은 토지거래 허가지역이라 대토를 할 수 없었습니다. 이에 많은 사람들이 광주를 피해 대토가 가능했던 이천으로 몰릴 때라 하룻밤 사이에 가격이 올라가는 일이 지속됐습니다.

가격이 계속 오르다 보니 계약 날짜를 잡아놓고도 매도인이 사무실에 나타나지 않는 일이 비일비재했습니다. 당시는 실거래가가 아닌 공시지가로 작성하는 '관인계약서'를 사용하던 시절이라 양도세 부담도 전혀 없었습니다. 오늘 사서 오늘 팔아도 세금으로부터 자유로웠고, 구두상으로만 계약한 뒤 바로 다른 사람에게 파는 전매 또한 성행했으나 이런 행위가 법에 어긋나는지에 대한 인식조차 없었습니다.

부동산 경기가 좋으면 매수 희망자는 많은 반면 물건이 없습니다. 어쩌다 좋은 물건이 나오면 여러 사람의 이해관계가 얽혀 있어 서로 얼굴을 붉히는 일이 잦아지게 마련입니다. 그래서 고정적이고 안정적인 부동산 물건 확보를 위해 경매로 방향을 바꾸기 시작했습니다. 부모님 소유 건물이 강제집행 직전까지 갔던 경험 때문에 되도록이면 사람이 살고 있는 주택은 손대지 않고 토지 위주의 경매에 많은 시간을 보냈습니다. 토지 위에 벽돌이 한 장만 있어도 쳐다보지 않는다고 할 정도였습니다.

경매를 접하면서 일반 부동산 업무는 거의 하지 않았습니다. 일반 부동산 업무를 하던 때에는 다른 사람을 위한 컨설팅을 했지만, 경매와 공매를 통해서는 제가 직접 매수하고 매도하는 일이 늘어났습니다.

지분, 거들떠보자

경매에는 지분, 법정지상권, 유치권 등 많은 특수물건이 있습니다. 그중 지분의 경우 경매보다는 공매가 압도적으로 많습니다. 경매는 채권 회수가 목적인 데 비해 공매는 체납 세액의 징수가 목적이기 때문입니다.

경매를 진행하는 채권자는 강제집행으로 목적 부동산을 높은 가격에 매각해 보다 많은 채권을 회수하려고 노력합니다. 이런 이유로 경매는 될 수 있으면 부동산의 가치를 하락시키려 하지 않습니다. 일괄매각과 개별 매각 중 어느 것이 유리한지 따지고, 감정가가 적정하지 않다고 판단되면 재감정을 신청합니다. 채권자, 채무자 모두 관할법원에 부동산의 가치를 떨어뜨리지 않기 위한 요구를 할 수 있는 것입니다.

하지만 공매는 이해관계인이 경매보다 적습니다. 체납 징수기관이 국가기관이나 지자체 등 공공기관이기 때문입니다. 그리고 이해관계인인 국가나 지자체가 직접 할 수 없어 '한국자산관리공사(캠코)'라는 별도의 전문기관에 일괄 의뢰합니다.

운동화 한 켤레의 가격이 만 원이라고 가정해봅시다. 그럼 한 짝의 가격은 얼마일까요? 단순하게 계산하면 절반인 5,000원이 되겠지만 실제 가치는 이에 미치지 못할 것입니다. 파는 사람도 한 짝만 팔려고 하지 않고, 사는 사람도 한 짝만 사려고 하지 않을 테니까요.

하지만 같은 신발을 한 짝만 구매할 수 있다면, 그것도 싸게 구매할 수 있다면 좋지 않을까요? 예를 들어 1만 원짜리 신발 한 켤레를 한 짝에 2,000원씩 두 번에 걸쳐서 구매한다고 하면 결국 4,000원에 한 켤레를 구매하는 결과가 됩니다.

토지는 특성상 분할을 하게 되면 한 짝이 한 켤레로 재탄생할 수 있습니다. 즉 1만 원짜리 토지 중 2,000원짜리를 사서 분할이라는 과정을 거치면 5,000원 가치의 또 다른 크기의 토지가 탄생하게 됩니다.

위치에 따라 이 토지는 6,000원의 가치를 지닐 수도, 4,000원 가치를 지닐 수도 있습니다.

자동차의 경우 사고가 나면 그 이력이 가격 하락으로 이어지고, 평가 금액도 떨어집니다. 하지만 토지는 분할된 토지가 합쳐져 장애 요인이 제거되면 다시 하나의 완벽한 자산으로 거듭날 수 있습니다.

경·공매 콜라보를 보여준 지분 상가

의정부 2계
2011 타경 14124[1] 상가

소 재 지	경기 동두천시 지행동 718-4 스타월드빌딩 5층 501호 도로명주소				
경매구분	임의경매	채 권 자	고OOOOOO		
용 도	상가	채무/소유자	한OO/한OOOO	매각기일	12.02.23 매각
감 정 가	280,000,000 (11.04.28)	청 구 액	517,631,150	종국결과	12.03.19 취하
최 저 가	114,688,000 (41%)	토지면적	28.3 ㎡ (8.6평)	경매개시일	11.04.18
입찰보증금	10% (11,468,800)	건물면적	153.6 ㎡ (46.5평)	배당종기일	11.07.11
조 회 수	· 금일조회 1 (0) · 금회차공고후조회 154 (2) · 누적조회 420 (2)				( )는 5분이상 열람 조회통계

경매&공매로 공유자 지위 선점

공매나 경매로 우선매수 신청권이 있는 공유자 지위를 획득한 뒤 저렴하게 부동산을 취득하려면 우선 공유자 중 한 사람이 채무가 있거나 조세 체납이 있어야 합니다. 나머지 공유자 또한 채무나 체납이 있어야 하며, 바로 공매나 경매에 나올지 예측을 해야 합니다.

경매는 등기부등본에 경매개시결정 등기가 표기되는 반면, 과거 공매는 압류 표기만 있을 뿐 공매 진행 여부는 별도로 표기하지 않았습니다. 이로 인해 등기부등본만 가지고는 공매 진행 여부를 확인할 수 없었습니다. 그러나 지지옥션은 공매와 경매가 동시에 진행될 경우 이를 알려줍니다.

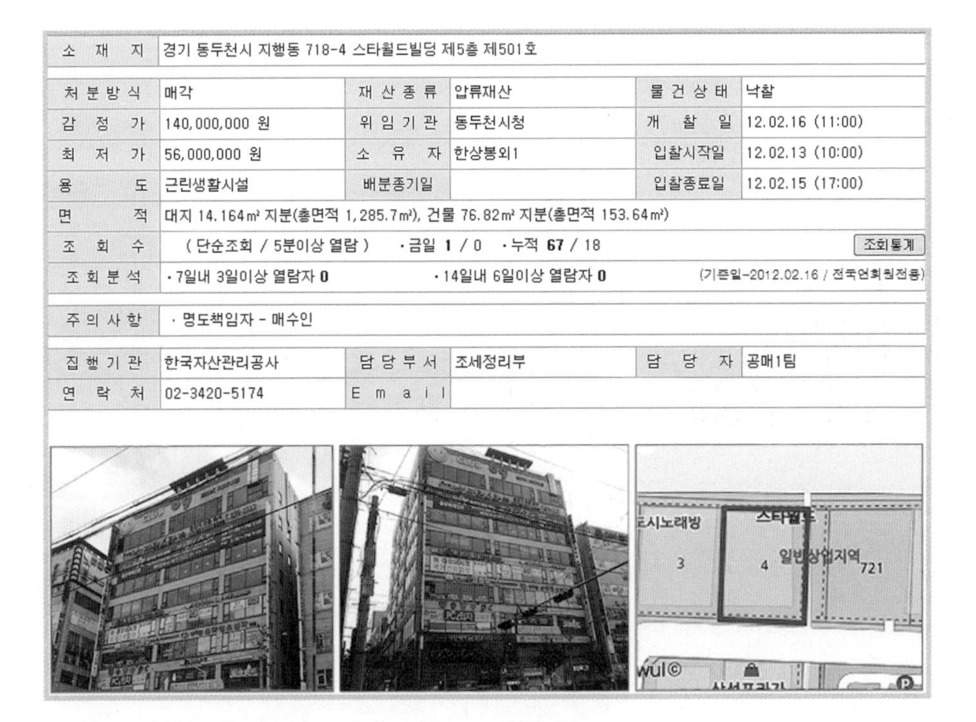

소 재 지	경기 동두천시 지행동 718-4 스타월드빌딩 제5층 제501호				
처 분 방 식	매각	재 산 종 류	압류재산	물 건 상 태	낙찰
감 정 가	140,000,000 원	위 임 기 관	동두천시청	개 찰 일	12.02.16 (11:00)
최 저 가	56,000,000 원	소 유 자	한상봉외1	입찰시작일	12.02.13 (10:00)
용 도	근린생활시설	배분종기일		입찰종료일	12.02.15 (17:00)
면 적	대지 14.164㎡ 지분(총면적 1,285.7㎡), 건물 76.82㎡ 지분(총면적 153.64㎡)				
조 회 수	(단순조회 / 5분이상 열람) ·금일 **1** / 0 ·누적 **67** / 18 조회통계				
조 회 분 석	·7일내 3일이상 열람자 **0** ·14일내 6일이상 열람자 **0** (기준일-2012.02.16 / 전국연회원전용)				
주 의 사 항	· 명도책임자 - 매수인				
집 행 기 관	한국자산관리공사	담 당 부 서	조세정리부	담 당 자	공매1팀
연 락 처	02-3420-5174	E m a i l			

지분 위주로 경·공매 사건을 검색하던 중, 이 물건이 최저가가 감정가의 40퍼센트까지 떨어진 상태에서 공매와 경매가 동시에 진행되

고 있다는 사실을 알게 됐습니다. 공매는 2분의 1 지분에 대해서만, 경매는 전체 지분에 대해 진행 중임을 지지옥션을 통해 확인했습니다.

당시 공매 입찰기일이 2012년 2월 13~15일, 개찰일은 2월 16일이었습니다. 낙찰이 된다면 2월 20일 오전에 매각허가결정이 내려집니다. 동시에 진행되는 사건번호 2011타경 14124[1](의정부 2계) 경매의 5차 매각기일은 2월 23일이었습니다. 그렇다면 동시에 진행되는 공매와 경매 중 어느 것이 우선권리행사를 할 수 있는지 따져봐야 합니다.

공매는 매각허가결정 직후 바로 잔금 납부가 가능하나, 경매는 허가결정이 나도 7일간의 즉시항고 기간이 지나야 잔금을 납부할 수 있습니다. 잔금 납부가 중요한 이유는 이를 기준으로 공유자로서의 권리행사가 이뤄지기 때문입니다.

공유자 우선매수로 34%에 낙찰

공매에 참여해 개찰일인 2월 16일 공매 낙찰자로 확정됐고, 2월 20일 매각허가결정을 받았습니다. 2월 23일 의정부지방법원에서 진행된 경매 결과 누군가에게 낙찰이 된 것을 확인하고 2월 27일 법원에 공매 매각허가결정문을 제출했습니다. 2월 30일 의정부지방법원에서 경매 매각불허가결정이 내려졌습니다.

의정부 2계
2012 타경 25282 **상가**

소 재 지	경기 동두천시 지행동 718-4 스타월드빌딩 5층 501호 (11350) 경기 동두천시 지행로 56				
경매구분	임의경매	채 권 자	고OOOOOO		
용 도	상가	채무/소유자	한OO/한OOOO	매 각 기 일	13.05.23 (47,400,000원)
감 정 가	**140,000,000** (12.07.18)	청 구 액	60,047,807	종 국 결 과	13.08.12 배당종결
최 저 가	**29,360,000** (21%)	토 지 면 적	전체 28.33 ㎡ 중 지분 14.2 ㎡ (4.3평)	경매개시일	12.06.21
입찰보증금	10% (2,936,000)	건 물 면 적	전체 153.64 ㎡ 중 지분 76.82 ㎡ (23.2평)	배당종기일	12.09.13
주 의 사 항	· 지분매각 특수件분석신청				
조 회 수	· 금일조회 **1** (0) · 금회차공고후조회 **83** (5) · 누적조회 **385** (5) ( )는 5분이상 열람 조회통계 · 7일내 3일이상 열람자 **4** · 14일내 6일이상 열람자 **1** (기준일-2013.05.23 / 전국연회원전용)				

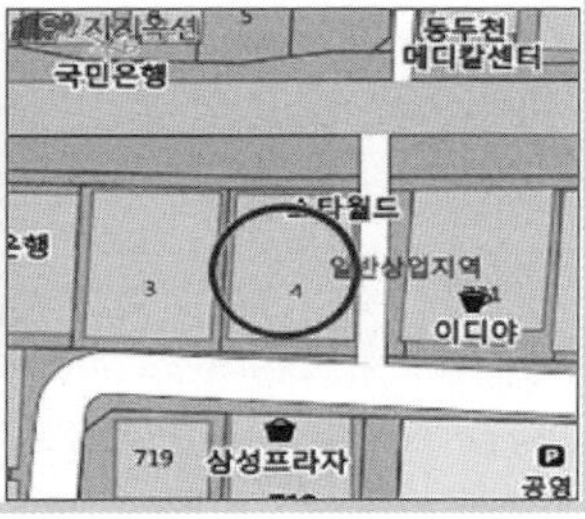

몇 달 후 불허가결정이 내려졌던 나머지 2분의 1 지분이 다른 사건 번호를 부여받고 다시 경매에 나왔습니다. 이미 공매로 2분의 1 지분을 가지고 있던 저는 낮은 금액으로 공유자 우선매수를 하기 위해 8차 입찰까지 기다렸습니다. 그러나 채권자가 자신의 채권 회수를 위해 입찰에 참여하면서 감정가 대비 21퍼센트까지 하락한 물건을 34퍼센트에 낙찰 받았습니다.

7차 입찰 때 매입하려다 조금 더 기다려보자며 8차까지 갔지만 결국 6차 때의 최저가보다 높은 가격에 매입하게 됐습니다. 제가 반성하는 부분입니다. 공매로는 41퍼센트, 경매로는 34퍼센트, 전체로는 감정가의 37.5퍼센트에 상가 건물을 낙찰 받은 사례입니다.

2012-02-16	공매 낙찰
2012-02-20	공매 매각허가결정
2012-02-23	의정부지방법원의 경매 낙찰 결과 확인
2012-02-27	의정부지방법원에 공매 매각허가결정문 제출
2012-02-30	의정부지방법원, 경매 사건에 대해 매각불허가결정
2012-03-30	공매 잔금 납부

알고 계신가요? '경·공매 동시진행' 검색 서비스

20개가 넘는 지지옥션의 경매물건 검색 메뉴 중에는 '경·공매 동시진행' 검색 서비스도 있습니다. 과거 경매와 공매가 동시에 진행되면 이를 표기해주던 서비스에서 더 나아가 별도의 검색 서비스를 만들어 이용자들의 편의를 돕고 있습니다.

'경매 검색' 메뉴의 하위에 있는 '경·공매 동시진행' 메뉴를 클릭하면 동시진행, 경매진행 기준, 공매진행 기준 등 원하는 조건에 맞게 검색이 가능합니다.

'지분은 헐값, 완전체는 금값' 지분 토지 공략

[압류재산(캠코)-매각]
2017-00958-003

소 재 지	충청남도 태안군 소원면 송현리 산184-1 , 산184-3				
처 분 방 식	매각	재 산 종 류	압류재산(캠코)	물 건 상 태	낙찰
감 정 가	328,692,500 원	위 임 기 관	분당세무서	개 찰 일	17.11.09 (11:00)
최 저 가	131,478,000 원	소 유 자	뉴상현건설외1	입찰시작일	17.11.06 (10:00)
용 도	임야	배분종기일	17.06.26	입찰종료일	17.11.08 (17:00)
면 적	임야 11294㎡ 지분(총면적 22,588㎡) 임야 2937.5㎡ 지분(총면적 5,875㎡)				
조 회 수	(단순조회 / 5분이상 열람) · 금일 **1** / 0 · 누적 **40** / 6 조회통계				
조 회 분 석	· 7일내 3일이상 열람자 **0** · 14일내 6일이상 열람자 **0** (기준일-2017.11.09 / 전국연회원전용)				
주 의 사 항	· 분묘 · 지분매각 · 명도책임자 - 매수인 · (매각에서 제외되는 주택 및 비닐하우스등이 소재하므로 사전조사후 입찰바람 현황 임야로 분묘 소재할 수 있으므로 사전 조사 후 입찰바람. 현황 전 및 일부 도로로 이용중이므로 입찰자 책임 하에 반드시 공부열람, 현지답사 등을 통한 실물확인 및상태점검, 임차인 존재 여부등 물건을 사전 확인후 입찰바람.)				
집 행 기 관	한국자산관리공사	담 당 부 서	대전충남지역본부	담 당 자	조세정리팀
연 락 처	1588-5321	E m a i l			

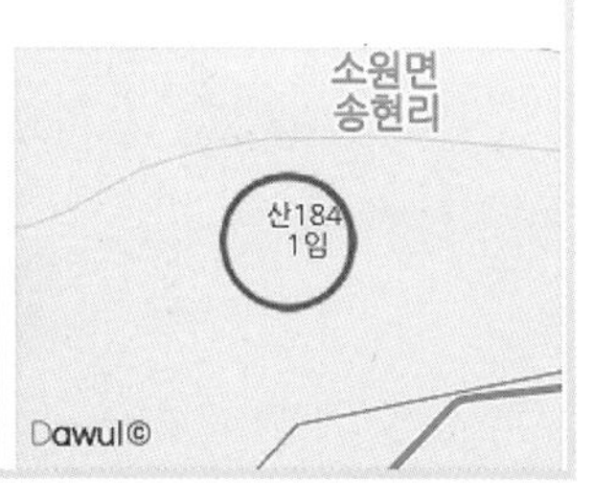

[압류재산(캠코)-매각]
2017-00959-003

소 재 지	충청남도 태안군 소원면 송현리 산184-1, 산184-3				
처분방식	매각	재산종류	압류재산(캠코)	물건상태	낙찰
감 정 가	328,692,500 원	위임기관	분당세무서	개 찰 일	17.11.30 (11:00)
최 저 가	82,174,000 원	소 유 자	뉴상현건설외1	입찰시작일	17.11.27 (10:00)
용 도	임야	배분종기일	17.06.26	입찰종료일	17.11.29 (17:00)
면 적	임야 11294㎡ 지분(총면적 22,588㎡) 임야 2937.5㎡ 지분(총면적 5,875㎡)				
조 회 수	(단순조회 / 5분이상 열람) ·금일 **1** / 0 ·누적 **37** / 8 조회통계				
조회분석	·7일내 3일이상 열람자 **1** ·14일내 6일이상 열람자 **0** (기준일-2017.11.30 / 전국연회원전용)				
주의사항	·분묘 · 지분매각 ·명도책임자 - 매수인 ·(에서 제외되는 주택 및 비닐하우스등이 소재하므로 사전조사후 입찰바람 현황 임야로 분묘 소재할 수 있으므로 사전 조사 후 입찰바람. 현황전 및 일부 도로로 이용중이므로 입찰자 책임 하에 반드시 공부열람, 현지답사 등을 통한 실물확인 및상태점검, 임차인 존재 여부등 물건을 사전 확인후 입찰바람.)				
집행기관	한국자산관리공사	담당부서	대전충남지역본부	담 당 자	조세정리팀
연 락 처	1588-5321	E m a i l			

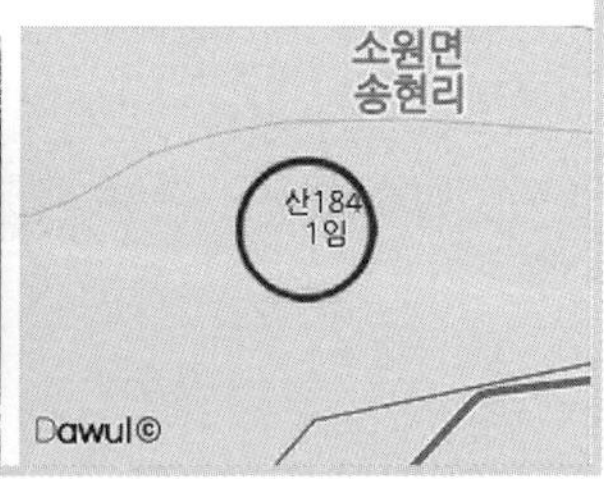

공매 & 공매로 공유자 지위 선점

물건을 검색하다 보면 '이게 가능해?'라는 생각이 드는 물건이 있습니다. 체납 세금을 징수하는 처분 관청이 동일하다 해도 공매는 별개로 진행됩니다. 경매는 복수의 채권자가 경매를 신청할 경우 중복과 병합이라는 방식을 취합니다.

하지만 공매 압류처분 매각은 체납 징수라는 하나의 요인으로만 집행되다 보니 압류를 건 처분 관청별로 각각 진행이 됩니다. 국세징수법과 지방세징수법에 의한 대상에 따라 처분이 되다 보니 이러한 결과가 생깁니다. 당연한 현상입니다. 동일한 물건이라고 해도 이해관계자가 항상 동일하란 법은 없습니다. 동일 물건임에도 같은 기간에 입찰을 진행하지 않는 경우도 많습니다.

관리번호 2017-00958-003(이하 '958 물건')과 2017-00959-003(이하 '959 물건'), 이 두 개의 공매물건이 바로 제가 찾던 것이었습니다. 우선 전체의 2분의 1에 해당하는 958 물건을 8회 유찰 후 감정가(3억 2,869만 2,500원)의 41.2퍼센트인 1억 3,532만 1,000원에 낙찰받았습니다. 2분의 1 지분을 낙찰 받았으니 나머지 공유자와 지적 분할을 하든, 그의 지분을 매입하든 해야 합니다.

처음부터 공유자 지위를 십분 활용하기 위해 958 물건을 먼저 낙찰받았으므로 959 물건도 입찰해서 낙찰을 받으면 됩니다. 여기서 경매와 공매 간에 절차상 다른 점이 있다는 걸 인지해야 합니다. 경매는 통상 낙찰 후 7일간 매각허가결정기간이 있고, 또 그 후 7일 동안 권리관계나 절차상 문제에 대해 법원에 즉시항고를 할 수 있는 기간이 지나야 잔금 납부명령이 떨어지게 됩니다. 이로 인해 경매의 최고가 매수인이 잔금 납부를 할 수 있는 시점은 낙찰을 받고 최소 14일이 경과해야만 합니다.

공매는 통상적으로 입찰 기간이 월요일 오전 10시부터 수요일 오후 5시까지입니다. 개찰은 사안에 따라서 다소 늦어지는 경우도 있으나 대부분 목요일 오전 11시에 온비드 사이트(www.onbid.co.kr)에 결과를 게시합니다. 공유자 우선매수신청이나 체납액 변제를 통해 공매를 취소시킬 수 있는 기간은 낙찰자가 결정되는 목요일 오전 11시부터 매각허가결정이 나오는 그다음 주 월요일 오전 10시까지입니다. 월요일 오전 10시 이후 매각허가결정이 나면 30일 내에 잔금을 납부해야 하며, 10일 정도가 더 주어진 납부최고기한이 정해집니다.

경매의 경우 기한 내에 잔금 납부를 못 해도 가산 이자 15퍼센트를 내면 잔금 납부를 할 수 있으나, 공매는 납부최고기한이 지나면 잔금 납부를 할 수 없으며 입찰 보증금은 국고로 귀속됩니다. 그리고 경매의 최고가 매수인은 잔금 납부 전 채무자의 변제로 인한 경매 취소 등으로 인해 지위가 변동되더라도 이에 대항할 수 없습니다. 반면 공매는 매각허가결정이 내려지면 체납자가 체납 세금을 모두 변제한다고 해도 공매가 취소되지 않으며, 공유자도 우선매수를 할 수 없습니다.

한마디로 최고가 매수인의 지위에 있어서는 경매보다 공매가 더 안정적입니다.

같은 날로 입찰기일이 지정되다

이 사례의 경우 경매로는 우선매수가 가능한 공유자 지위를 획득하는 것이 불가능했습니다. 그러나 공매는 낙찰 뒤 그다음 주 월요일 오전 10시 이후에는 언제라도 잔금을 납부할 수 있기 때문에 나머지 물건에 대해 공유자의 지위를 얻을 수 있었습니다. 경매는 통상 유찰이 되면 한 달 뒤, 직전 최저가에서 20~30퍼센트 저감된 금액으로 입찰이 진행됩니다. 그러나 공매는 일주일 뒤 직전 최저가에서 10퍼센트 저감된 금액으로 진행됩니다.

958 및 959 물건 모두 같은 날로 입찰기일이 지정되자 저는 고민에 빠졌습니다. 한 사람이 모두 낙찰 받으면 큰 문제가 없지만 하나는 제가, 나머지는 다른 사람이 낙찰을 받으면 분할로 해결해야 해서 조금 걱정이 됐습니다. 다행히 959 물건에는 입찰자가 없어서 958 물건을 낙찰 받아 공유자의 지위를 얻을 수 있었습니다. 이후 959 물건은 유찰을 거듭하다 결국 2017년 11월 말 공유자 우선매수로 제가 낙찰 받았습니다.

경매는 유찰 시 20~30퍼센트씩 저감되며 한 달 간격으로 매각기일이 지정됩니다. 경매도 소송의 일부이기 때문에 채권자가 소송의 이득이 없다고 판단하기 전까지는 계속 진행됩니다. 이와 달리 공매는 유찰 시 10퍼센트씩 저감되며 일주일 간격으로 입찰기일이 지정됩니다. 만약 감정가 대비 50퍼센트까지 저감됐거나 낙찰자가 없으면 이해관계자들이 회의를 거쳐 계속 진행할지, 아니면 이득이 없다고 판단돼 취소할지를 결정하게 됩니다.

만약 계속 진행하기로 결정이 나면 감정가의 25퍼센트에 이를 때까지 5퍼센트씩 저감되어 진행이 됩니다. 25퍼센트까지 저감되면 다시 회의를 거치지만 대부분은 이 단계에서 공매 절차를 취소합니다.

산림조합원으로도 등록

만리포 해수욕장까지 자동차로 8분 거리에 위치한 바닷가 인근 임야와 전(田)으로 이루어진 약 8,600평의 부동산을 공유자 지위를 활용해 감정가의 33.7퍼센트인 2억 1,749만 5,000원에 매입할 수 있었습니다. 실제 부동산 가치는 감정가인 6억 5,738만 5,000원보다 높게 평가될 수밖에 없습니다.

우선 지분 2분의 1씩 감정한 탓에 전체에 대한 감정가보다는 낮았습니다. 밤나무가 면적의 50퍼센트를 차지하는 임야의 경우, 지적도상에는 맹지로 표기돼 있으나 태안군에서 공사한 포장도로가 존재하고 오폐수관도 설치돼 있습니다. 건축물 신축 시 허가에는 전혀 문제가 없음을 태안군청에서 확인했습니다.

게다가 인근 주택 거주자가 이곳까지 수도를 설치해서 건축물 신축 허가에 필요한 도로, 상하수도 등 모든 부분이 충족된 상태입니다. 또 하나 반가운 소식은 이 물건 초입에 있는 일부 비포장길 역시 소유주의 동의를 얻어 2019년 안에 포장을 마무리할 것이라는 점입니다.

취득 후 얼마 지나 농지원부가 발급됐으며, 산림조합에 조합원 신청을 해 산림조합원으로도 등록됐습니다. 2018년에는 수종갱신사업에 지원했는데, 이는 정부에서 80퍼센트를 보조받아 임야에 식재된 수종을 바꿀 수 있는 제도로, 나머지 20퍼센트는 수목 판매로 충당이 가능합니다.

알면 무조건 이기는 경매 & 공매 비교

1. 근거 법령

- 경매 : 민사집행법
- 공매 : 국세징수법, 지방세징수법

2. 완전히 다른 경매와 공매의 취소

경매는 채권자가 채권 회수를 목적으로 부동산 소재 법원에 강제집행을 요구하는 경우가 대부분입니다. 채권자는 채권 회수를 최대한으로 하기 위해 관할법원에 일괄매각, 개별매각, 매각기일변경, 감정평가에 대한 재감정 촉탁 등을 요구합니다. 이처럼 채권 회수에 최선을 다하기 때문에 경매가 취소되는 사례는 그리 많지 않습니다.

공매는 체납자가 일부라도 변제하거나 변제계획서를 제출하는 등 노력하는 모습을 보이면 대부분 취소됩니다. 여기서 중요한 사실은 경매는 대부분 매각기일에 맞춰 일정이 진행되지만 공매는 입찰기간 공고 후에도 수시로 입찰기간이 변경된다는 점입니다. 그 이유는 체납자에게 송달이 되지 않았거나, 체납액 중 일부나 전부를 변제했거나, 변제계획서를 제출했기 때문입니다. 이때도 '취소'로 표시가 됩니다.

3. 저감률의 차이에 숨겨진 비밀

경매의 경우 관할법원에 따라 저감률이 20퍼센트 또는 30퍼센트입니다. 공매는 일괄적으로 10퍼센트씩 저감됩니다. 비율로만 보면 경매 저감률이 공매보다 크다고 생각하기 쉽지만, 경매는 한 달 간격으로 매각기일이 잡히는 만큼 저감되기까지 한 달이 소요됩니다.

그에 반해 공매는 일주일 간격으로 저감이 이뤄집니다. 예를 들어 2019년 1월 1일이 1차 매각기일이라고 한다면 1월 한 달 동안 총 다섯 번의 입찰이 진행되므로 저감률은 50퍼센트가 됩니다. 경매에 비해 저감되는 속도가 상당히 빠르다고 볼 수 있습니다.

그 대신 경매는 경매신청 채권자가 1원이라도 배당받을 수 있다면 계속해서 저감이 되지만 그렇지 못하면 기각이나 각하로 경매가 취소됩니다. 공매는 1차로는 50퍼센트까지 저감이 되고, 이후 다시 집행의 실효성을 따져서 25퍼센트까지 저감됩니다. 그리고 최종적으로 25퍼센트 밑으로 진행을 계속할 것인지를 심의 후 결정합니다. 통상 25퍼센트 미만으로는 공매 진행을 하는 경우가 드뭅니다.

4. 공유자 송달의 차이

경매의 경우 경매개시결정문이 채무자에게 고지되지 않으면 효력이 없습니다. 최초 송달이 이뤄지고 나면 그 이후로는 '송달 간주' 처리합니다. 공유자는 다른 이해관계인들처럼 도달주의가 아니라 송달주의로, 꼭 도달이 돼야 하는 것은 아닙니다. 단, 공유자에 대한 통지가 경매개시결정의 효력에 영향을 주지는 않지만, 이 통지가 결여된 상태에서 경매가 진행돼 경락을 허가한 경우 공유자가 이를 이유로 매각허가에 대한 이의 또는 즉시항고를 할 수 있습니다.

그러나 공유자는 처음부터 송달 간주로 처리됩니다. 공유자의 송달 주소는 등기사항전부증명서상의 주소지로 돼 있기 때문에 주소 변경을 하지 않았을 경우에는 공유자에게 도달하지 않았을 확률이 높습니다.

그럼 공매의 경우는 어떨까요? 공매 공고는 체납자, 처분 관청의 장 등 이해관계인에게는 등기우편으로 통지됩니다. 특히 체납자에게는 반드시 통지되어야 공매 진행이 되며, 공유자는 추가 통지대상으로 일반우편으로 통지합니다. 경매는 공유자에게 등기우편으로 송달하는 데 비해 공매는 일반우편으로 송달하므로 공매의 공유자가 경매보다 사건을 인지할 확률이 낮습니다.

5. 잔금납부 기한

경매의 경우 최고가 매수인이 되면 잔금납부명령이 발송되고 납부기일까지 납부를 하면 됩니다. 만약 납부기일까지 잔금 납부를 못 하더라도 재경매기일 3일 전까지 잔금과 지연 이자를 계산해 납부하면 낙찰자는 해당 부동산의 소유권을 취득할 수 있습니다.

공매는 3,000만 원 미만일 경우 7일 이내, 3,000만 원 이상일 경우에는 30일 이내에 잔금을 납부해야 합니다. 단, 납부 금액과 상관없이 10일의 납부최고기한을 더 줍니다. 그러나 최고기한까지도 잔금 납부를 못 하면 입찰 보증금은 국고로 몰수됩니다. 더 이상의 기회가 없는 것입니다.

경매는 잔금 납부를 하지 않으면 입찰 보증금이 채권자에게 배당되나 공매에서는 배당되지 않고 국고로 귀속됩니다.

6. 최고가 매수인의 지위

경매에서 최고가 매수인의 지위는 항상 불안합니다. 낙찰을 받아서 최고가 매수인이 되었다 해도 잔금 납부 전까지 권리변경, 경매취소, 항고, 강제집행정지, 기각, 각하 등 변수가 많습니다. 하지만 공매는 매각허가결정을 받으면 최고가 매수인의 지위는 절대적입니다. 일단 매각허가결정이 나면 체납자가 체납액을 모두 변제하거나 공유자가 우선매수신청을 해도 그 결정이 번복되지 않습니다.

선순위 임차인은
임대계약서 와
낙찰자명도확인서
를 제출하면 경매
대금에서 임대
보증금을 배당
받는다

'평범'한 직장인의 '비범'한 이중생활

도전사례 1 베일에 싸인 선순위 임차인의 보증금을 알아내다
도전사례 2 증액된 보증금만큼 수익이 될 수 있는 임차인 분석
도전사례 3 판결문으로 알아낸 선순위 임차인의 보증금
도전사례 4 소유자를 만나 매매를 제안했던 경매예정 아파트
도전사례 5 경매는 만인의 관심, 급매는 나만의 기회
도전사례 6 부동산 투자의 숨은 보석 '신탁공매'

'평범'한 직장인의 '비범'한 이중생활

조성윤

스스로 이마에 '평범'이라는 단어를 새기고 다닌다고 할 정도로 평범한 직장인. 하지만 그의 경매투자는 결코 평범하지 않다. 선배의 퇴사로 우연히 맡은 채권 관리 경험에 법률 관련 지식이 더해진 탄탄한 기본기를 바탕으로 신탁공매, 예정물건 일반매매 등 경매 밖 영역까지 자유롭게 넘나든다. 경매투자자라면 누구나 꺼리는 선순위 임차인 물건을 골라 문제를 해결하는 임차인 분석의 달인이다.

국가대표급 평범남

저는 19년째 직장 생활을 하고 있는 40대 중반의 평범한 직장인입니다. 사랑하는 동갑내기 아내와 눈에 넣어도 아프지 않을 예쁜 두 딸과 함께 행복하게 살아가고 있습니다. 부동산 투자로 성공한 이들의 책을 보면 어린 시절 힘들었던 가정사를 많이들 이야기하는데, 사실 저는 힘들게 살아본 적이 없습니다. 아버지가 공무원으로 일하신 덕분에 풍족하진 않았지만 그렇다고 경제적인 어려움을 겪지도 않았습니다.

말 그대로 평범한 가정에서 태어나 평범하게 살아온 인생입니다. 고등학교 졸업 후에는 재수 없이 바로 대학에 입학했고, 졸업하기 전에 바로 취업도 했습니다. 제가 졸업할 당시는 IMF 여파로 취업이 무척 어려운 시절이었는데 운이 좋았던 것 같습니다. 이후 지금까지 직장인으로 살아오고 있습니다. 말 그대로 이마에 '평범'이라는 두 글자를 새겨놓은 것 같지 않나요?

첫 직장에서는 영업기획 업무를 담당했습니다. 어느 날 같은 부서에서 채권 관리를 담당하던 선배가 퇴사하면서 입사한 지 1년도 안 된 제가 부장님의 지시로 채권 관리업무를 담당하게 됐습니다. 처음에는 저와 맞지 않을 것이라 생각해 퇴사를 하려고 했습니다. 하지만 선배들의 설득에 마음을 고쳐먹고 회사에 남기로 했습니다. 지금 와서 생각해보면 이것이 저의 인생을 바꾼 커다란 계기였던 것 같습니다.

채권 관리업무를 담당하면서부터 법률 관련 지식도 습득하기 시작해 2003년 지금의 회사로 옮겼습니다. 2011년부터는 관계회사의 지배인으로서 로펌에 위임하지 않는 간단한 소송은 제가 직접 준비서면 작성, 변론기일 참석 등의 업무를 수행하고 있습니다. 아울러 2016년부터는 회사의 준법지원인 역할도 병행하고 있습니다. 직장에서의 이런 경력과 경험이 제가 경매투자를 하는 데 크나큰 도움을 준다는 점은 두말할 나위가 없을 것입니다.

예상치 못했던 충격

저는 대학 시절부터 부동산보다 주식에 관심이 많았습니다. 그러다 회사를 옮겨 부동산 담보관리 업무를 맡게 되면서 깜짝 놀랄 만한 경험을 했습니다. 2004년경 업무 때문에 아파트 매매가를 조사할 일이 있었는데, 분당 아파트 가격이 불과 몇 개월 사이에 1~2억 원씩 올라가는 게 아닙니까? 제 몇 년 치 연봉을 불과 몇 개월 만에 버는 사람이 있다는 사실을 알게 된 것입니다.

큰 충격을 받은 저는 이후 부동산에 관심을 가지게 되었고, 결혼 후 대출을 받아서 마련한 부동산으로 시세 차익을 보기도 했습니다. 이 시세 차익이 현재 부동산 투자의 시드머니가 되었습니다. 또한 회사 업무상 경매를 신청하는 채권자 위치에 있다 보니 자연스레 경매에도 관심을 가지게 되었습니다. 하지만 부동산을 사기 위해서는 큰 목돈이 필요하다고 생각했던지라 관심만 있었을 뿐 지금처럼 본격적으로 투자를 시작하지는 않았습니다.

그러던 중 2013년 봄 우연히 경매 책을 접했는데, 그 책을 보니 경매를 통해 500만 원, 1,000만 원으로도 부동산을 살 수 있는 것이 아니겠습니까? 당시 저는 2008년에 실투자금 1억 원 가까이 들여 마련한 재개발구역 내 빌라로 골머리를 앓던 중이었는데, 그 책을 보는 순간 망치로 머리를 얻어맞은 듯한 충격에 휩싸였습니다. 제가 가지고 있던 부동산에 대한 선입관을 송두리째 무너뜨렸을 뿐만 아니라 1억으로 열 채, 스무 채도 살 수 있다는 생각을 하게 만들었기 때문입니다.

이후 직접 강의를 들으면서 느껴보자고 결심해 2013년 9월 초 책의 저자가 운영하는 카페에 가입했습니다. 그 후 평일 낮에는 직장인, 평일 밤과 주말에는 부동산 투자회사의 CEO라는 '이중생활'을 하게 됐습니다.

특별한 일이 없으면 매주 주말마다 임장을 다녔고, 퇴근 후에는 경매물건을 검색한 뒤 경매서적, 카페, 블로그 등을 보며 공부를 했습니다. 그리고 같은 카페에서 먼저 시작한 투자 선배들의 경험담을 읽으면서 부동산에 관한 지식을 쌓기 위해 노력했습니다.

선순위 임차인, 진짜도 있고 가짜도 있다

말소기준권리보다 먼저 전입신고는 했지만 실제 임차인인지 확인되지 않은 선순위 임차인 물건도 일반 경매물건보다 더 높은 수익을 올릴 수 있는 대상입니다.

주택임대차보호법 제3조는 '임차인이 주택의 인도와 주민등록을 마친 때에는 그다음 날부터 제3자에 대하여 효력이 생긴다. 이 경우 전입신고를 한 때에 주민등록이 된 것으로 본다'고 규정하고 있습니다. 경매에서 대항력 있는 임차인은 입찰 보증금을 날리는 원인이기도 하지만, 반대로 잘 활용하면 큰 수익을 얻을 수 있는 대상이기도 합니다.

자신의 집에 경매가 진행되면 소유자는 조금이라도 재산을 챙기려고 하게 마련입니다. 이것은 당연한 심리입니다. 그래서 간혹 경매물건 중 말소기준권리보다 먼저 전입신고를 한 선순위 임차인이 등재돼 있지만 실제로는 진정한 임차인이 아닌 경우가 발생합니다. 이런 임차인을 '가장 임차인'이라고 하는데 크게 세 부류로 나뉩니다.

첫 번째는 실질적 임대차계약 없이 무상으로 거주하다 경매가 진행되자 소유자와 짜고 허위 임대차계약서를 만든 후 이를 토대로 임차권을 주장하는 소유자의 친인척, 지인 등입니다. 말소기준권리 이전에 전입신고가 돼 있다는 점을 악용한 것입니다.

두 번째는 소액 보증금을 받기 위해 서류상으로만 주민등록을 옮겨 놓고 소유자와 허위 임대차계약서를 작성한 사람입니다. 소액 임차인이 담보물권자보다 우선해 보증금 중 일정액을 최우선으로 변제받을 권리를 가지고 있다는 점을 악용한 것입니다.

마지막은 주택임대차보호법상 대항력을 인정받지 못하는 사람입니다. 주택임대차보호법상 대항력을 인정받지 못하는 사람은 소유자와 적법한 임대차계약을 체결하지 않은 경우가 일반적입니다.

가장 임차인과는 반대로 소유자와 임대차계약을 맺고 실제 임차인으로서 거주하고 있지만 주변 아파트 전세가가 상승해 계약 만기 때까지 거주하기 위해 배당요구를 하지 않는 임차인도 있습니다. 저는 주로 이런 종류의 물건을 공략하는 편입니다. 왜냐하면 이런 물건들이 가장 임차인에 비해 더 많고, 임차인의 보증금만 알아내면 소위 전세 낀 갭 투자가 될 수 있기 때문입니다. 그것도 저렴한 금액으로 말이지요.

가장 임차인을 알아내는 방법

선순위 임차인이 있는데 보증금이 미상인 물건은 우선 서류를 가지고 진위 여부를 추정합니다. 먼저 소유자의 주소지를 확인합니다. 소유자의 주소지가 경매물건의 소재지와 같다면 그 임차인은 소유자의 가족일 가능성이 큽니다. 반대로 다르다면 진짜 임차인일 확률이 높습니다. 만약 경매정보 사이트에 임차인으로 등재돼 있는 사람의 전입일자가 소유자와 같다면 이 임차인은 소유자의 가족일 수 있습니다.

그리고 2011년 이후 전입한 임차인이라면 실거래가 내역을 찾아봅니다. 실거래가 내역을 통해 해당 물건의 보증금이나 당시 보증금 시세를 확인할 수 있습니다. 아울러 1순위 근저당권자의 채권최고액도 확인합니다. 근저당권 설정 당시의 KB시세를 확인해 대출금이 KB시세의 60~70퍼센트 정도 된다면 진짜 채권자가 아닐 수도 있습니다. 하지만 채무자가 법인이라면 진짜일 수 있습니다.

이렇게 서류를 통해 대략적으로 판단한 후 현장을 갑니다. 현장에서 임차인을 만나면 소유자와 협의해 매매하려는 뉘앙스를 풍기며 일부러 낮은 금액을 얘기합니다. 그러면 거의 대부분 자신들의 보증금이 그 금액보다 높다고 하면서 더러는 실제 보증금액을 얘기해주는 경우도 있습니다.

다음으로는 물건지 주변 공인중개사 사무소를 찾아가 경매물건에 대해 얘기하면서 해당 임차인을 중개한 중개사를 아는지도 물어봅니다. 전세매물이 나오면 공동매물망에 올리게 되는데, 어느 사무소에서 거래했는지 아는 경우가 많기 때문입니다. 관리사무소나 이웃집도 탐문 대상입니다.

베일에 싸인 선순위 임차인의 보증금을 알아내다

안양 1계
2016 타경 654 **아파트**

소 재 지	경기 안양시 동안구 평촌동 932-7 꿈마을 603동 10층 1004호 (14102) 경기 안양시 동안구 부림로 13				
경매구분	임의경매	채 권 자	라OO		
용 도	아파트	채무/소유자	조OO/김OO	매각기일	17.08.22 (215,550,000원)
감 정 가	**587,000,000** (16.02.26)	청 구 액	250,000,000	종국결과	17.11.01 배당종결
최 저 가	**192,348,000** (33%)	토지면적	53.6 ㎡ (16.2평)	경매개시일	16.02.05
입찰보증금	20% (38,469,600)	건물면적	101.5 ㎡ (30.7평) [37평형]	배당종기일	16.04.20
주의사항	· 재매각물건 [특수件분석신청]				
조 회 수	· 금일조회 **1** (0) · 금회차공고후조회 **328** (77) · 누적조회 **3,867** (653) ( )는 5분이상 열람 [조회통계] · 7일내 3일이상 열람자 **27** · 14일내 6일이상 열람자 **20** (기준일-2017.08.22 / 전국연회원전용)				

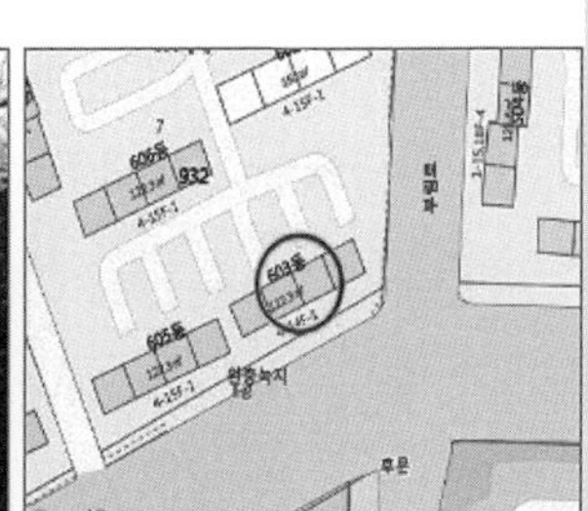

전세 보증금과 7억 원의 근저당

여느 때와 마찬가지로 물건을 검색하던 중 평촌의 한 아파트가 눈에 들어왔습니다. 개인이 경매를 신청했고, 말소기준권리보다 전입일자가 빠른 임차인, 즉 대항력 있는 임차인이 존재하는 물건입니다.

그런데 등기부등본을 보니 좀 특이한 점이 있었습니다. 2014년 8월 전입한 임차인이 있는데 2015년 7월에 개인이 채권최고액 7억 원의 근저당권을 설정했고, 같은 해 8월 소유권이 이전됐습니다. 이후 2016년 2월 개인 근저당권자가 임의경매를 신청했습니다. 금액은 알 수 없지만 전세 보증금과 7억 원의 근저당권을 안고 집을 샀다는 얘기인데, 선뜻 이해가 가지 않는 부분입니다.

등기부등본상 소유자들의 주소지가 경매물건지와 달라 임차인은 진짜일 가능성이 높았습니다. 그리고 전입일자가 2014년 8월이어서 전세 실거래가를 조회했습니다. 2011년부터 전세에 대해서도 실거래가를 제공하고 있으니 참고하시기 바랍니다. 같은 평수 10층으로 신고된 금액으로 2014년 6월의 3억 6,000만 원, 2014년 10월의 4억 원, 이 두 개가 조회됐습니다. 일반적으로 전입신고 전에 확정일자를 받으니 2014년 6월의 3억 6,000만 원이 전세 실거래가일 확률이 높았습니다.

저는 선순위 임차인이 있는 물건을 임장할 때 가장 먼저 물건지를 방문합니다. 이 물건도 마찬가지였습니다. 임차인을 만날 수는 없었지만 우편물을 확인해보니 실제 임차인이 거주하는 것으로 보였습니다. 그다음에는 해당 단지 내 중개업소를 찾아가 이 물건에 대해 물어봤습니다.

운이 좋았는지 제가 방문한 중개업소가 이 물건에 대해 알고 있더군요. 이 물건을 중개한 다른 중개업소 사장과 통화한 후 금액도 알려줬습니다. 실제 보증금이 3억 6,000만 원으로 제 예상이 적중했습니다.

2017년 4월 당시 시세가 5억 원 후반대 수준이었기 때문에 한 번 더 유찰된 후 입찰하려고 했습니다. 당시 인근 아파트의 낙찰가율이 시세 대비 90퍼센트 초반대에 형성돼 있었고, 보증금이 미상이었기 때문에 경쟁자가 낮을 것이라고 생각해 시세의 90퍼센트 수준인 5억 3,000만 원 대로 매수하려고 했기 때문입니다. 하지만 저의 예상과 달리 다른 사람이 낙찰을 받았습니다. 나중에 안 사실이지만 이 낙찰자는 어떤 이유에서인지 대금을 미납했고, 결국 재경매로 또 다른 사람에게 낙찰됐습니다.

증액된 보증금만큼 수익이 될 수 있는 임차인 분석

부천 2계
2016 타경 85 **아파트**

소 재 지	경기 김포시 장기동 1886-2 고창마을 KCC스위첸 405동 9층 905호 (10083) 경기 김포시 김포한강2로 208				
경매구분	임의경매	채 권 자	디OOOOOO		
용 도	아파트	채무/소유자	송OOOOO/허OO	매각기일	17.12.05 (151,690,605원)
감 정 가	**270,000,000** (15.06.19)	청 구 액	200,000,000	종국결과	18.02.13 배당종결
최 저 가	**132,300,000** (49%)	토지면적	0.0 m² (0.0평)	경매개시일	16.01.07
입찰보증금	10% (13,230,000)	건물면적	60.0 m² (18.1평) [24평형]	배당종기일	16.07.21
주의사항	· 대지권미등기 [특수件분석신청]				
조 회 수	· 금일조회 **1** (0) · 금회차공고후조회 **190** (45) · 누적조회 **1,421** (187) ( )는 5분이상 열람 [조회통계] · 7일내 3일이상 열람자 **15** · 14일내 6일이상 열람자 **4** (기준일-2017.12.05 / 전국연회원전용)				

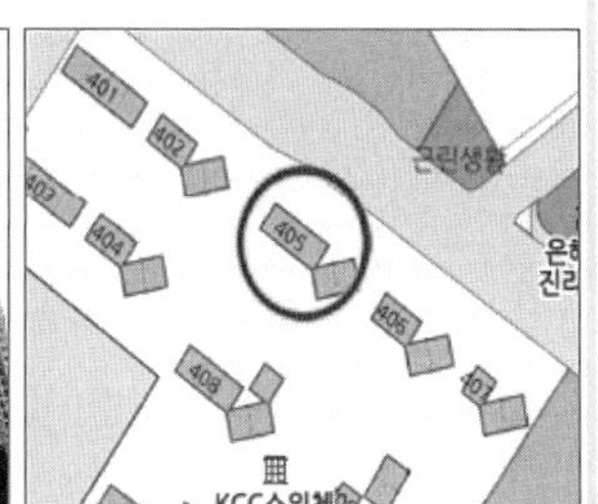

보증금 증액 여부를 확인해야

경매의 기본 상식만 알아도 접근할 수 있는 물건을 소개하고자 합니다. 대항력 있는 임차인이더라도 말소기준권리 이후 보증금이 증액된 경우에는 낙찰자가 인수하지 않는다는 것을 알고 있다면 대박은 아니어도 중박은 칠 수 있는 물건이었습니다. 꼭 어렵고 복잡한 물건이 아니라도 이런 기본적인 지식만 있으면 경매에서 남들과 다른 수익을 맛볼 기회를 얻습니다.

2017년 초 선순위 임차인 물건을 검색하던 중 김포 한강신도시에 있는 물건이 눈에 들어왔습니다. 2019년 7월로 연기됐지만 당시에는 2018년 11월 개통을 앞두고 있던 김포 도시철도 장기역 인근에 위치한 역세권 아파트였습니다.

낙찰 후 전세를 놓으면 2년 후 도시철도 개통으로 매매가와 전세가 모두 동반 상승하리라 기대하고 입찰하기로 결정했습니다. 현황조사서를 보니 임차인의 아내가 구두로 진술한 금액이 1억 4,000만 원으로 표기돼 있었습니다. 전입일인 2011년 12월을 기준으로 실거래가 내역을 찾아봤더니 9층으로 신고된 금액은 6,500만 원으로 1건 조회됐습니다.

다른 층을 포함해도 2011년 12월 당시 거래된 전세가는 1억 1,000만 원이 가장 높았고, 그 외에는 대부분 1억 원 이하로 거래됐습니다. 2년 후인 2013년 12월 실거래 내역도 찾아봤더니 9층에서 1억 4,000만 원에 거래된 내역이 조회되더군요.

저는 속으로 쾌재를 불렀습니다. 실제 임차인의 보증금은 1억 4,000만 원이고, 지지옥션에도 1억 4,000만 원으로 나와 있었지만 말소기준권리 설정일이 2012년 5월 23일이기 때문입니다. 이는 실제 낙찰자가 인수할 보증금은 6,500만 원밖에 안 되거나, 최대로 따져도 1억 1,000만 원이 넘지 않을 것이라는 얘기입니다.

추운 겨울이었지만 현장을 방문해 타입별로 시세 조사 등을 마친 후 두 번 유찰되기만을 기다리고 있었습니다. 그런데 이게 웬일인가요? 계속 매각기일이 변경되더니 결국 채권자가 임차인을 상대로 소송을 제기했습니다. 이후 '임차인의 보증금이 1억 1,000만 원을 초과해 존재하지 않는다'는 내용이 매각물건명세서상에 공개돼버린 것입니다. 저만 알고 있던 임차인의 정보가 모든 사람에게 공개되는 바람에 싸게 낙찰 받기 어려운 물건이 됐습니다.

저의 경험에서 보듯이 선순위 임차인의 보증금액이 법원이 제공하는 자료 등에 표기되지 않았거나, 금액이 기재돼 있더라도 말소기준권리 이후 증액됐는지 여부를 조사하는 습관을 가져야 합니다.

판결문으로 알아낸 선순위 임차인의 보증금

남부 1계
2016 타경 103481 **아파트**

소 재 지	서울 양천구 신정동 1300 명지해드는터 101동 9층 907호 (08014) 서울 양천구 신목로 43				
경매구분	강제경매	채 권 자	기OOOOOOO		
용 도	아파트	채무/소유자	변OO	매각기일	18.05.23 (330,000,000원)
감 정 가	**614,000,000** (16.08.09)	청 구 액	174,277,618	종국결과	18.07.24 배당종결
최 저 가	**251,494,000** (41%)	토지면적	37.8 m² (11.4평)	경매개시일	16.08.03
입찰보증금	10% (25,149,400)	건물면적	85.0 m² (25.7평) [32평형]	배당종기일	16.11.07
조 회 수	· 금일조회 **2** (0) · 금회차공고후조회 **294** (74) · 누적조회 **2,651** (335) ( )는 5분이상 열람 조회통계 · 7일내 3일이상 열람자 **34** · 14일내 6일이상 열람자 **13** (기준일-2018.05.23 / 전국연회원전용)				

보증금만 확인하면 선순위 임차인도 두렵지 않다

김포와 안양 물건을 놓친 후에도 매주 선순위 임차인의 물건을 검색하던 중, 이번에는 서울에 있는 이 물건이 눈에 들어왔습니다. 양천구 신정동에 위치한 소규모 아파트지만 주변에 다른 소규모 아파트들이 많이 있고, 목동 학원가를 이용할 수 있어 학부모들이 선호하는 아파트였습니다.

지지옥션을 보니 2010년 3월 전입한 대항력 있는 임차인은 존재하는데 전세 보증금은 미상으로 나오더군요. 등기부등본을 보니 2014년 12월 한 개인이 근저당권을 설정했습니다. 이에 대해 기술신용보증기금이 '사해행위 취소소송'을 제기해 결국 승소했고, 근저당권은 말소됐습니다.

사해행위란 '채무자가 채권자를 해함을 알면서도 자기의 재산을 은닉 · 손괴 또는 제3자에게 증여하는 등의 방법으로 채무자의 총 재산을 감소하는 행위를 하여 채권자의 강제집행을 어렵게 하는 행위'를 말합니다. 이 경우 채권자는 법원에 해당 법률행위의 취소 및 원상회복을 청구할 수 있습니다. 이와 같은 채권자의 권리를 '채권자 취소권', 그러한 소송을 '사해행위 취소소송'이라고 합니다. 한마디로 사해행위 취소소송이란 채무자가 빼돌린 재산을 되찾아오는 소송입니다.

채권자가 사해행위 취소소송을 제기하려면 ① 채권자에게 채권이 존재해야 하고 ② 채무자의 재산을 빼돌리는 법률행위가 있어야 하고(사해행위) ③ 사해행위로 인해 재산보다 채무가 더 많아져야 하고(무자력) ④ 채무자가 사해행위로 인해 채권자를 해하게 된다는 것을 알면서 한 것이어야 함(채무자의 악의) 등의 요건을 필요로 합니다. 채권자는 사해행위 사실을 안 날로부터 1년, 사해행위가 이뤄진 날로부터 5년 내에 소송을 제기해야 합니다.

사해행위 취소소송에서 채권자는 채무자의 채무초과 상태, 즉 재산보다 채무가 더 많음을 입증해야 하는데 일반적으로 채무자의 자산과 부채에 대한 '사실조회'나 '문서제출명령' 등을 통해 확인합니다. 임차인의 보증금도 채무자 입장에서는 부채이기 때문에 채권자가 소송 절차에서 이를 확인했을 가능성이 큽니다. 따라서 등기부등본에 기재된 소송의 사건번호를 통해 판결문을 열람하면 임차인의 보증금이 얼마인지 확인할 수 있습니다.

이 물건도 이런 방법으로 임차인의 보증금이 3억 8,000만 원이라는 것을 확인했습니다. 하지만 이 물건 역시 다른 사람이 낙찰을 받았습니다. 이후 낙찰자가 매각불허가를 신청해 받아들여져서 재경매가 진행됐으나 앞서와 마찬가지로 보증금이 매각물건명세서에 기재됨에 따라 저렴한 가격으로 낙찰 받기가 불가능해졌습니다.

선순위 임차인이라고 해서 지레 겁먹기보다는 기본적인 경매 지식을 갖추고 임차인의 보증금을 확인하는 수고를 곁들인다면 상대적으로 저렴하게 낙찰 받을 수 있고, 그만큼 수익도 클 것입니다.

경매물건을 법원 밖에서 매수하는 방법

경매투자를 오래 한 사람들은 요즘 경매시장이 예전 같지 않다는 말을 많이 합니다. 서울, 수도권의 매매가가 많이 상승하다 보니, 경매에 나올 가능성이 크거나 이미 경매가 진행 중인 물건들을 급매로 처분한 뒤 취하하는 경우가 많아서일 것입니다. 실제로 임장을 다니다 보면 경매로 넘어가기 전에 급매로 나오는 물건을 종종 보게 됩니다.

친분이 있는 공인중개사도 비슷한 얘기를 합니다. 종종 있는 경매 전 급매물건을 자신이 아는 투자자들에게 매수하라 권하기도 하고, 가격이 괜찮으면 본인이 직접 매수하기도 한답니다. 결국 경매에 나오기 직전이든 경매가 진행 중이든, 급매나 급급매 물건을 잡으려면 많은 공인중개사뿐만 아니라 다양한 동료 투자자들과도 친분을 쌓아둬야 합니다.

제 경험상 경매 직전 또는 진행 중인 물건을 취하시킨 후 매매로 살 수 있는 방법은 세 가지입니다. 첫 번째는 친분이 있는 공인중개사를 통해서이고, 두 번째는 소유자를 직접 만나 거래를 제안하는 것입니다. 세 번째는 경매신청 채권자가 금융기관이 아닌 일반 회사이고 전액배당이 어려운 경우, 그 회사 담당자를 직접 찾아가 매매를 협의하는 것입니다.

경매물건 임장 시 이 물건을 매수하겠다는 생각을 가지고 방문해 소유자를 만날 경우 매수 의사를 밝히면 됩니다. 방문을 많이 할수록 매수 기회가 늘어나는 것은 당연한 이치가 아니겠습니까? 실제 지인 중 저의 얘기를 듣고 매수한 사례도 있으니 임장할 때 활용해보시기 바랍니다.

물론 두 번째와 세 번째 방법은 성사되기가 쉽지 않습니다. 하지만 자신이 꼭 사고 싶은 물건을 저렴하게 살 수 있다면 무엇인들 못 하겠습니까? 저는 소금 세례를 받은 적도 있습니다. 입에 담기 어려운 욕을 듣는 일은 부지기수입니다. 실패하더라도 일단 두드려보는 용기가 필요합니다.

저는 경매가 진행 중인 물건뿐만 아니라 예정물건도 검색합니다. 원하는 지역의 경매예정물건(또는 신건) 중 점유자가 소유자이고, 은행 등 금융기관이 전액배당 받을 수 있는 물건을 선택합니다. 가급적 소유자의 채무가 시세보다 많으면 좋습니다. 왜냐하면 소유자는 얼마에 팔리느냐보다 자신이 얼마나 이익을 얻는지에 관심이 더 크므로, 적당한 금액을 소유자에게 주겠다고 하면 협상이 수월하기 때문입니다. 반대로 소유자에게 배당잉여금이 있다면 경매로 넘어가더라도 소유자는 경매가 진행되는 동안 비교적 장기간 집에서 거주할 수 있고, 배당잉여금도 받을 수 있어 가격 협상에 어려움이 있을 수 있습니다.

좋은 물건을 찾았다면 직접 방문해 소유자를 만나 "경매로 넘어가게 되면 당신에게 돌아가는 금액이 없다. 하지만 나와 매매 거래를 한다면 당신에게 적정한 금액을 지급하겠다"라는 취지의 얘기를 한 후 생각해보고 연락을 달라는 말과 함께 연락처를 남겨두고 오면 됩니다.

알고 계신가요? '예정물건 검색' 서비스

지지옥션은 현재 진행 중인 경매물건뿐만 아니라 경매예정물건도 진행물건과 동일한 수준으로 검색할 수 있는 서비스를 제공하고 있습니다. 지지옥션 홈페이지에서 상단 메뉴 중 '예정물건'을 클릭하면 다양한 검색 조건을 설정해 원하는 경매예정물건을 쉽고 빠르게 확인할 수 있습니다. 예정물건에 대해서도 이해관계인, 은행, 경·공매 통합, 역세권 물건 등 자신의 입맛에 맞게 검색할 수 있는 다양한 방법을 제공하고 있습니다.

소유자를 만나 매매를 제안했던 경매예정 아파트

안산 6계
2015 타경 2655 **아파트**

소재지	경기 광명시 철산동 367 철산한신 107동 20층 2003호 (14243) 경기 광명시 디지털로 64				
경매구분	임의경매	채권자	권OO		
용도	아파트	채무/소유자	박OO	매각기일	15.08.11 (367,500,000원)
감정가	**350,000,000** (15.02.26)	청구액	320,000,000	종국결과	15.10.15 배당종결
최저가	**350,000,000** (100%)	토지면적	33.1 m²(10.0평)	경매개시일	15.02.13
입찰보증금	10% (35,000,000)	건물면적	89.5 m²(27.1평) [34평형]	배당종기일	15.05.04
조회수	· 금일조회 **1** (0) · 금회차공고후조회 **143** (27) · 누적조회 **210** (27) ( )는 5분이상 열람 조회통계 · 7일내 3일이상 열람자 **11** · 14일내 6일이상 열람자 **6** (기준일-2015.08.11 / 전국연회원전용)				

소유자를 만나 거래 제안을 하다

비록 실패했지만 두 번째 방법으로 실제 시도했던 물건 중 하나로, 경매예정물건이나 신건물건을 검색하다 발견했습니다. 이 물건 소재지는 추가상승 여력이 있다고 판단해 평소 임장을 해오던 지역이었습니다. 감정가 3억 5,000만 원의 30평형대 아파트로 25층 중 20층의 로열층이었습니다. 2015년 6월 조사 당시 로열층의 시세는 3억 7,000만 원 전후였습니다. 3억 2,000만 원의 채권액을 신고한 개인 근저당권자가 임의경매를 신청한 사건으로, 1순위 은행의 채권최고액 2억 3,800만 원까지 포함하면 총 채권액이 5억 원이 넘었습니다. 매매가격이 3억 7,000만 원 전후였으므로 낙찰되면 소유자는 한 푼도 못 건지는 상황이었습니다.

이에 저는 은행 채무를 모두 변제한 후 소유자와 경매신청 채권자를 설득해 경매를 취하하면 매매로 매입할 수 있겠다고 생각했습니다. 몇 번의 방문 끝에 소유자를 만나 3억 5,000만 원에 매매 계약을 하면 별도로 1,000만 원을 지급하겠다는 제안을 했습니다. 하지만 소유자가 너무 무리한 요구를 해오는 바람에 아쉽게도 거래는 성사되지 못했습니다. 만약 이 거래가 성사되었다면 낙찰가보다 더 싼 가격에 매입할 수 있었을 것입니다.

경매는 만인의 관심, 급매는 나만의 기회

안산 1계
2016 타경 3370 **아파트**

경매구분	임의경매	경매신청자	보령에이엔디메디칼	경매개시일	2016.06.13
청 구 액	200,000,000원	채 무 자	흥일메디칼	현 재 상 태	취하 : 2016.07.26
용 도	아파트	소 유 자	김학종	배당종기일	2016.08.22

지도[숨기기]

사정이 급했던 소유주

첫 번째 방법을 통해 법원 바깥에서 매매로 취득한 사례입니다. 2016년 6월 같이 부동산을 공부했던 친한 동생에게서 연락이 왔습니다. 알고 지내는 평촌의 공인중개사로부터 소개받은 급매물건이 있는데 관심 있으면 접촉해보라는 것이었습니다.

이 물건은 1층이지만 중간층의 매매가(5억 원 중후반대)에 비해 7,000

만~8,000만 원 정도 저렴했고, KB부동산 시세 최저가인 5억 1,000만 원보다도 2,000만 원가량 낮았습니다. 보통 1층은 중간층보다 10퍼센트가량 시세가 낮기 때문에 대략 5억~5억 1,000만 원 정도로 추정했습니다.

부동산 실거래 내역을 살펴보니 2015년 4분기에 두 건이 거래된 1층 물건의 가격이 당시의 실거래가에 비해서도 2,000만 원가량 낮았습니다. 가격을 좀 깎아서 매입하면 최소한 시세보다 2,000만 원 이상 저렴하게 매입할 수 있겠다는 확신이 들었습니다.

급매로 나온 물건은 37평형으로 25평형이나 32평형에 비해 가격 상승폭이 크지 않았고, 전세가는 4억 원 중후반대에 형성돼 있었습니다. 가격을 더 깎아서 매입한 후 수리를 하면 세금과 수리비 등 기타 비용을 포함하더라도 실투자금 3,000만~4,000만 원 선에서 매입이 가능해 보였습니다.

평촌은 다들 알고 있듯이 학군에 따라 가격이 움직이는 지역입니다. 이 물건은 평촌에서도 가장 선호하는 중학교 중 하나인 귀인중학교에 배정될 수 있고, 인덕원-수원 복선전철 개통 시 신설될 역사가 인근에 위치했습니다. 물론 개통 일정은 아직 미정입니다.

이에 후배가 소개해준 공인중개사에게 연락해 약속을 잡고 퇴근 후 집을 보러 갔습니다. 집에 들어서는 순간 '아~ 매입하면 수리비가 많이 들겠구나'라는 생각이 들 정도로 이 물건은 소위 말하는 '폭탄'이었습니다. 같이 간 중개업소 사장이 아니라 소유자의 아내가 이 물건을 사게 되면 무엇이 좋은지를 10분 가까이 장황하게 설명하는 것을 보니 어지간히 급한 상황임을 직감할 수 있었습니다.

물건을 본 후 중개업소로 돌아와 이 물건이 급매로 나온 이유를 물어봤습니다. 그랬더니 중개사는 소유자가 빨리 이사를 가야 한다고만 할 뿐 다른 이유는 자신도 정확히 모른다고 하더군요. 저는 수리비가 많이 들 것 같으니 1,000만 원 더 깎아주면 계약하겠다고 했습니다. 정확한 이유는 모르겠지만 현재 소유자의 사정이 매우 급하다는 것을 알고 있었기 때문입니다. 제게 10분 동안 브리핑을 했던 소유자의 아내는 곤란해하며 남편이 오면 상의해서 연락 주겠다고 했습니다.

중도금 2억 원이 필요했던 이유

그런데 공인중개사가 대뜸 중도금으로 2억 원을 줄 수 있냐고 물어왔습니다. 이에 중도금이 필요한 이유가 무엇인지, 등기부등본상 대출은 없는지 물어봤습니다. 그제야 중개사가 털어놓길, 현재 경매가 진행 중인데 이를 취하하려면 2억 원이 필요하다는 것이었습니다. 그래서 일단 700만 원을 깎아주면 생각해보겠다 하고 집으로 돌아왔습니다.

다음 날 중개사로부터 700만 원을 깎기로 했다는 연락을 받았습니다. 저는 중도금이 아니라 아예 잔금까지 치르면서 소유권 이전등기를 하고, 그 대신 이사는 2개월가량 여유를 주겠다고 했습니다. 덧붙여 이사 가기 전에 제가 부담해야 할 대출 이자 정도는 월세로 달라고 요구했습니다.

매도인은 사업도 망했는데 월세를 어떻게 지급하냐며 흥분했고, 중개사도 어쩔 줄 몰라 하며 제게 싸게 사는 것이니 양보하는 게 어떻겠냐고 했습니다. 그때 저는 딱 한 마디만 했습니다. "월세를 지급하기 어려우면 700만 원이 아닌 1,000만 원을 깎아주세요"라고 말입니다. 결국 월세 조로 300만 원을 더 깎을 수 있었고, 제 목표대로 시세보다 2,000만 원가량 저렴하게 나온 급매물건을 1,000만 원 더 깎아 매입하는 데 성공했습니다. 그런데 이게 웬일입니까? 계약 후 얼마 지나지 않아 매도인이 이사를 가겠다는 것입니다. 결국 소유권 이전등기 후 한 달 만에 이사를 가는 셈이어서 저는 월세로 300만 원을 받은 것이나 다름없었습니다.

어떤 분들은 경매를 통해 더 싸게 매입할 수 있지 않았냐고 할 수도 있습니다. 하지만 제가 매입한 물건과 유사한 평형대의 1층 아파트 낙찰가를 보면 경매보다 비싸게 산 것도 아닙니다. 명도에 대한 스트레스와 명도비, 명도 기간 동안의 금융 비용 등을 감안하면 오히려 경매보다 더 싸게 샀다고 할 수 있습니다.

이 물건은 섀시까지 교체하는 전체적인 수리를 진행한 후 전세를 놓았습니다. 20년이 넘은 단지이다 보니 올 수리를 하면 전세가도 높게 받을 수 있고, 추후 매도 시에도 다른 물건에 비해 경쟁력을 가지게 됩니다.

수익률

매수가(부대비용 포함) : 510,000,000 vs. 시세(2018년 말) : 690,000,000

나만의 Tip

예정물건을 경매법정 바깥에서 매수하려면 어떤 점을 주의해야 할까요? 경매 직전이거나 진행 중인 물건은 대부분 채권 금액이 많은 편입니다. 그러므로 계약 시 계약금을 매도인에게 지급해서는 안 되고 에스크로 계좌(보통 공인중개사의 계좌)에 넣어둬야 합니다. 상황에 따라서는 계약과 동시에 매매 대금을 지급하고 소유권 이전등기까지 원스톱으로 진행하는 것이 좋을 수 있습니다.

저도 매매 계약을 체결한 후 일주일 만에 소유권 이전등기를 마쳤습니다. 계약 시 계약금은 공인중개사에게 맡겨뒀고, 1순위 은행의 부채증명서를 확인한 뒤 담당자와 직접 통화해 부채 금액을 상환하면 근저당권을 말소할 수 있는지에 대해 녹취를 해뒀습니다. 또한 2순위 경매신청 채권자로부터는 언제까지 채무 금액을 상환할 경우 경매를 취하하고 근저당권을 말소해준다는 내용의 확인서(법인인감증명서 첨부)를 요청해 받았습니다.

일주일 후 잔금을 치를 때는 은행으로부터는 최종 상환할 금액을, 경매신청 채권자로부터는 경매취하서 및 근저당권 말소서류를 확인한 후 은행과 경매신청 채권자에게 직접 지급했습니다. 그리고 법무사에게는 경매취하 접수 후 접수증명원을 보내달라고 요청해 접수증명원을 팩스로 받았고, 은행에서는 대출금 상환영수증과 말소비용 영수증을 수령했습니다. 말소비용 영수증은 말소 확인 차원에서 받은 것입니다. 마지막으로 대법원 인터넷등기소에서 말소등기 접수 여부를 최종적으로 확인했습니다.

흔히 경매가 진행 중인 물건, 특히 채무 금액이 매매 금액보다 많은 경우에는 위험하다는 이유로 가격이 싼데도 매입을 꺼리는 경우가 많습니다. 하지만 채권자들로부터 채무액 전액 또는 일부 변제 시 말소한다는 확인서를 수령하고, 계약금을 매도인에게 지급하지만 않는다면 위험하지 않습니다.

부동산 투자의 숨은 보석 '신탁공매'

경매나 공매는 알지만 신탁공매는 모르는 사람들이 의외로 많습니다. 하지만 이를 잘 활용한다면 경매나 공매에 비해 저렴하게 부동산을 취득할 수 있습니다.

신탁공매는 소유자(위탁자)가 신탁회사(수탁자)에 부동산을 담보신탁한 후 채권자(금융기관)에게 대출금을 상환하지 못할 경우, 이를 상환하기 위해 신탁회사에서 자체적으로 진행하는 매각 절차를 말합니다. 주의할 점은 신탁공매는 일반매매와 같기 때문에 경매, 공매와 같이 말소기준권리라는 것이 없습니다.

즉 일반매매처럼 등기부등본상의 권리를 포함해 모든 권리를 인수하기 때문에 등기부등본, 신탁원부, 건축물대장 등 관련 서류를 꼼꼼히 확인해야 합니다. 정보가 제한적인 데다 신탁회사 회의실에서 진행하는 경우도 있기 때문에 경쟁률이 낮아 물건을 잘 고른다면 좋은 수익으로 연결시킬 수 있습니다.

신탁공매는 신탁사 홈페이지에서 직접 검색해야 합니다. 공고문을 꼼꼼히 읽어봐야 하는데, 공고문에 임차인이 있는 경우 신탁회사의 동의 여부가 중요합니다. 임차인의 보증금 인수 여부가 결정되기 때문입니다. 임대차계약은 등기부등본상 소유자와 해야 하며, 담보신탁에 의해 소유권이 신탁사로 이전된 이후 신탁사의 동의 없이 위탁자와 임대차계약을 체결했다면 적법한 임차인이 아닙니다. 다시 말해 임차인의 보증금을 매수인이 인수할 필요가 없습니다.

이런 물건은 매수 후 임차인과 적절한 협상을 통해 명도하거나 협상이 여의치 않을 경우 점유이전금지 가처분을 제기한 후 명도소송을 진행하면 됩니다. 요즘은 가처분이나 명도소송 모두 전자소송으로 간편하게 할 수 있으므로 부담을 갖지 않아도 됩니다.

수원 다세대 물건 수의계약

20~30대 젊은 층의 월세 수요가 풍부한 수원시청역 인근에 위치한 다세대가 신탁공매로 나온 것을 보고 월 임대료를 받기에 좋을 것 같아 매수하기로 결정했습니다. 신탁사의 입찰공고문을 보니 공매 대상 물건의 임차인들은 신탁사와 계약을 체결하지 않았고 동의도 없었으므로, 안타깝지만 적법한 임차인으로서의 권리가 없었습니다. 매수인의 퇴거 요구에 응해야만 했습니다.

수차례 유찰된 후 2018년 4월 신탁사와 5,600만 원에 수의계약을 체결했습니다. 대출은 낙찰가의 90퍼센트 한도에 3퍼센트 후반대 금리로 받았습니다. 임차인은 보증금 5,400만 원을 모두 잃을 처지에 놓여 있었지만 다행히 절반가량은 중개한 공인중개사로부터 받았다고 합니다. 안타까운 마음에 미납된 관리비는 제가 납부하고, 이사비 100만 원 정도를 주려고 협의했지만 임차인은 나머지 보증금을 다 주지 않으면 못 나가겠다고 버텼습니다.

결국 점유이전금지 가처분과 명도소송을 동시에 신청했고, 현재 명도소송이 진행 중입니다. 가처분 집행 당시 이미 이사 나간 뒤여서 짐은 하나도 없었습니다. 이 물건의 임대 시세는 보증금 500만 원에 월세 30~35만 원 수준이어서 실제 투자금은 세금과 미납 관리비를 포함하더라도 500만 원이 채 들지 않았습니다. 대출 이자 16만 원 정도를 내면 월 15만 원가량 수익을 볼 수 있습니다.

경매나 공매로 낙찰 받은 후 공실이고 짐이 없는 경우라면 사진을 찍어두고 관리소장과 함께 가서 짐이 없다는 것을 확인한 후 별도의 집행절차 없이 바로 청소하고 임대를 놓으면 된다고들 얘기합니다. 저도 이에 대해 수긍합니다. 하지만 이 물건의 임차인은 이미 이사 간 후에도 제게 보증금을 주기 전까지 비워줄 수 없다고 얘기했습니다. 나중에 어떤 트집을 잡을지 몰라 명도소송 후 강제집행을 통해 처리하려고 합니다.

공실이고 짐이 없다고 해서 그냥 문을 열지 말고, 소유자든 임차인이든 점유자의 상황이나 성향에 맞게 처리해야 합니다.

수익률

낙찰가(부대비용 포함) : 59,000,000

대출 총액 : 50,400,000

임대 보증금 : 5,000,000

연간 대출 이자 : 2,000,000

연간 월세 수입 : 3,600,000

[(3,600,000 − 2,000,000)/(59,000,000 − 5,000,000 − 50,400,000)] × 100 = 100%

셰어하우스로 사오정 대비

일반적으로는 아파트를 낙찰 받아 전세를 놓고 몇 년 후 매도하는 것만으로도 수익을 낼 수 있습니다. 40대 중반이 되고 나니 '사오정'이라는 말이 현실로 다가와 부동산에 사업을 접목하는 방식의 투자를 하려고 합니다. 부동산에 사업을 접목시키면 시세 차익과 더불어 현금 흐름도 창출할 수 있고, 퇴직 이후를 미리 준비할 수도 있다고 생각했기 때문입니다.

현재 준비 중인 아이템은 셰어하우스입니다. 셰어하우스는 다수가 한 집에 살면서 개인적인 공간인 침실은 따로 사용하고 거실, 화장실, 욕실 등은 공유하는 주거 형태를 말합니다. 요즘 젊은 층에게 인기가 많습니다.

진입장벽이 낮은 탓에 경쟁이 치열하지만 저만의 특화된 무언가를 만들어볼 생각입니다. 경매를 통해 저렴하게 낙찰 받은 후 리모델링해 셰어하우스로 운영할 계획인데, 이처럼 셰어하우스로 활용 가능한 대학가 근처나 직장인 수요가 많은 역세권의 방 세 개짜리 빌라가 요즘 저의 타깃입니다. 단독(다가구)주택이나 근린주택에도 관심을 가지고 있습니다.

또 하나는 법정지상권과 지분물건입니다. 이미 2년 전부터 관심을 가지고 투자하고 있는 물건으로, 경매 대중화 시대를 이겨낼 수 있는 저만의 주특기로 삼고자 합니다. 아무리 복잡한 물건이라도 제가 풀어낼 수 있다면 남들과는 다른 수익을 올릴 자신이 있기 때문입니다. 앞서 얘기한 바와 같이 회사에서 15년째 법률 관련 업무를 해오고 있어 이를 십분 활용한 투자 방법입니다. 여러분도 본인의 장점을 최대한 활용할 수 있는 투자를 하기 바랍니다.

규제 정책 등으로 인해 부동산 시장이 주춤하고 있습니다. 하지만 분명한 것은 경매를 활용한 투자 방법은 매우 다양하다는 점입니다. 남들과 다른 본인만의 투자 스타일을 구축해나간다면 시장이 호황이든 불황이든 상관없이 수익을 얻을 수 있습니다.

기준금리와 진행건수의 관계

어떤 부동산이 법원경매라는 마지막 상황에까지 몰리게 되는 이유는 많습니다. 가장 흔한 사유는 소유자의 채무 불이행이고, 세금 체납도 상당 부분을 차지합니다. 이외에 채무 불이행이나 세금 체납은 아니지만 공유자 간 합의가 제대로 되지 않아 공유물 분할을 위해 경매시장에 나오는 경우도 있습니다.

이처럼 대부분 개인 대 개인 또는 개인 대 금융기관 사이의 채권·채무 관계에 의해 법원경매가 진행되기 때문에 전체 경제상황과는 무관한 것으로 여기기 쉽습니다. 그러나 아래 차트에서 보듯이 법원경매 진행건수와 한국은행의 기준금리 사이에는 비례관계가 성립한다는 점을 알 수 있습니다. 특히 이러한 경향은 2013년부터 더욱 뚜렷이 나타나고 있습니다.

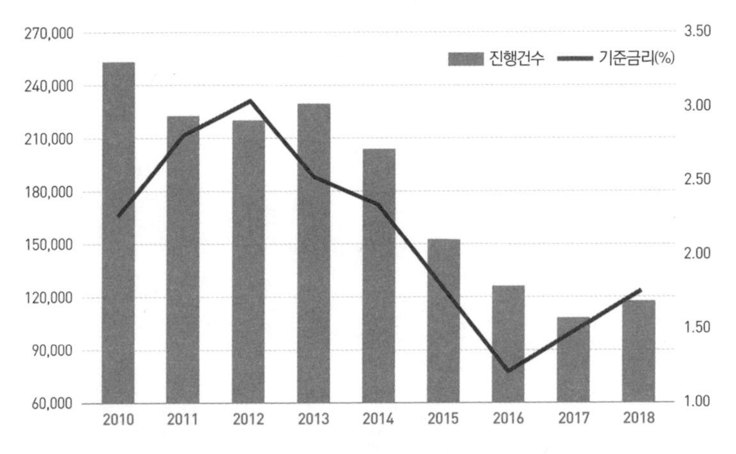

기준금리와 법원경매 진행건수가 정비례 관계를 보이는 이유는 임대사업자가 경매시장의 주를 이루고, 대부분의 낙찰자들이 대출을 받아 잔금을 납부하는 경매시장의 특성과 관련이 깊습니다. 소위 '경락잔금대출'로 불리는 낙찰 관련 대출은 일반 주택담보대출보다 금리가 높습니다. 한마디로 경매시장은 기준금리가 변동될 경우 낙찰자의 채무 상환능력에 변동이 생기기 쉬운 구조입니다.

이는 기준금리가 올라갈 경우 투자가 아닌 실거주 목적의 경매시장 참여자에게 더 많은 기회가 생긴다는 뜻이기도 합니다. 2018년 11월 말 한국은행이 기준금리를 1.75퍼센트로 올리자 2019년이 경매로 내 집 마련하기의 적기라는 분석이 나오는 이유가 바로 여기에 있습니다.

상실한 대항력을 살려낸 신의성실의 원칙

사건개요

- 사건번호 : 1998타경 32301
- 감정가 : 8,500만 원
- 키워드 : 신의성실 원칙, 임차인, 대항력, 부당한 이득

이슈

공동주택에 전입신고를 할 때에는 반드시 동호수를 특정해 신고해야 하며, 동호수 기재가 틀린 경우에는 적법한 전입신고가 될 수 없고 대항력을 주장할 수 없다는 것이 대법원 판례입니다.

이 사건의 경우 말소기준권리(1996년 5월 3일 근저당권)보다 전입신고(1993년 11월 24일)가 빠르기 때문에 대항력이 있는 것처럼 보입니다. 문제는 임차인이 '지층 101호'를 '가-101호'로 기재해 전입신고를 했기 때문에 대항력이 없다고 판단해 낙찰자가 임차인을 상대로 명도소송을 제기했다는 점입니다.

이에 대해 법원은 "원고(낙찰자)는 현저하게 저렴한 가격으로 이 사건 건물을 취득하고서도 위 전입신고의 결여를 기화로 부당한 이득을 얻으려는 의도에서 피고(임차인)의 손해는 전혀 생각함이 없이 위 건물의 명도를 구하고 있다고 봄이 상당하므로 이러한 청구는 신의성실의 원칙상 허용될 수 없다. 그러므로 피고(임차인)는 원고로부터 금 5,000만 원을 반환받음과 동시에 원고에게 위 건물을 명도해줄 의무가 있다 할 것이다(서울지방법원 제4민사합의부 2001년 6월 8일 선고 2000나73901호. 참조 : 대법원 2001. 11. 13. 선고 2001다43823 판결)"고 판결했습니다.

시사점

낙찰자의 무리한 요구를 오로지 부당이득만을 위한 것으로 판단해 '신의성실의 원칙'을 적용해 판결함으로써 사회통념상 인정하기 어려운 금액의 부당한 이득을 추구하려는 낙찰자에게 경종을 울린, 음미할 만한 판례입니다.

경매개시
결정후에
하는
공사는

경매를 향한 정권 지르기

도전사례 1 실형을 선고받은 허위 유치권자

도전사례 2 변호사의 코를 납작하게 만든 유치권 신고 공장

도전사례 3 가짜 증인을 밝혀낸 유치권 임야

경매를 향한 정권 지르기

이응걸

젊음을 바친 태권도장을 그만두고 경매를 제2의 인생도장으로 삼은 전 태권도 사범. 공인중개사 사무실을 거쳐 법무사 사무실에서 실장을 맡고 있는 입지전적인 경력의 소유자다. 경매투자에 나선 10여 년 동안 태권도 6단의 화려한 발차기를 보여줄 기회를 갖지 못한 것은 이처럼 탄탄한 법률적 지식과 경험을 보유하고 있었기 때문이다. 경매 초보자들이 가장 두려워하는 유치권을 격파하는 데 상당한 노하우를 가지고 있다.

사라진 교육자로서의 자부심

IMF 사태가 발생하던 해 봄에 태권도장을 열어 나름 소신을 가지고 무도(武道) 정신에 입각해 제자들을 교육했습니다. 2000년대 중반까지는 체육관 운영에 큰 어려움이 없는 편이었고, 교육자로서의 자부심도 갖고 있었습니다.

그러나 어느 순간부터 태권도 사범을 대하는 학부모들의 시선이 '스승'이 아닌 '학원 원장'이라는 것을 느끼게 되면서 교육자로서의 자부심은 떨어져만 갔습니다. 물질만능주의에 염증을 느끼면서 어차피 최고의 가치가 돈이라면 태권도 사범이라는 직업이 의미가 없다는 생각을 하기에 이르렀습니다. 급기야 2005년경부터는 체육관 경영에서 서서히 마음이 멀어지기 시작했습니다.

그러던 2006년 대학 동기이자 사기 전과가 있는 친구에게 사기를 당해 직접 민형사소송을 진행했고, 그 친구의 집에 경매신청까지 하게 됐습니다. 이 일이 있기 수년 전, 지인이 경매로 낙찰 받은 경기도 부천 빌라의 강제집행 현장에 참관인으로 참석한 적이 있습니다. 집행관이 강제로 문을 열자 노인 두 분이 "아이고~" 하며 바닥에 주저앉는 모습을 보고 경매는 절대 하지 않겠다고 다짐했었지만 어쩔 수 없었습니다.

대학 동기의 집을 경매로 넘긴 뒤 서울중앙지방법원에서 할아버지와 아기를 업고 온 새댁까지 수많은 사람들이 경매 입찰을 위해 모인 것을 보고는 그야말로 신세계를 발견했습니다. 이 세상에는 악덕 채무자도 많고, 경매에는 억울한 채무자들을 돕는 순기능도 있다는 사실을 깨닫게 됐습니다.

태권도장 운영 경험이 경매에 큰 도움

경매에 입문하기 전에는 체육관을 운영하면서 쉬는 날이 1년에 열흘이 채 안 됐을 정도로 일 중독자였습니다. 일주일에 보통 사나흘 밤을 새우고 새벽에 들어오자 참다못한 아내가 네 평짜리 체육관 사무실로 와서 같이 잠을 청하기도 했습니다. 이런 노력이 헛되지 않았는지 초등학생 제자들이 각종 방송 프로그램에 출연하고, 서울댄스페스티

벌에서 태권 댄스로 인기상을 받아 뿌듯함을 느끼기도 했습니다.

어려서부터 글쓰기를 좋아해 초등학교 때부터 꾸준히 일기를 썼고, 체육관을 운영하던 때에는 월 1~2회 내보내는 5~6페이지 분량의 가정통신문을 10년 동안 작성했습니다. 이러한 경험은 후에 인도명령 신청서 등을 작성하는 데 큰 도움이 되었습니다.

소유자나 전액배당 받는 임차인과 달리 허위 유치권자, 허위 선순위 임차인 등을 상대로 인도명령 신청서 등을 작성할 때 대충 해서는 기각될 수 있으므로 경력 있는 변호사나 법무사에게 의뢰해야 합니다. 자본금 1억 원을 가지고 경매투자를 시작한 저는 비용과 시간을 조금이라도 줄여보고자 법원 제출 서류를 공부해 쉬운 사건부터 직접 작성해나가기 시작했습니다.

저도 처음 판례를 읽을 때 '…… 아니하지 않았으므로…… 아니하지 않았다 할 수 없을 것이다' 같은 해괴한 어법과 난해한 법률용어에 모니터를 박살 내버리고 싶었던 적이 한두 번이 아닙니다. 하지만 나중에는 육하원칙에 의거해 법원 제출 서류를 작성하면 되므로 '창작의 고통'이 없어 가정통신문보다 훨씬 쉬웠습니다.

실형을 선고받은 허위 유치권자

인천 23계
2009 타경 9081 **아파트**

소 재 지	인천 서구 당하동 895-1 성웅 116동 6층 602호 [도로명주소]				
경매구분	임의경매	채 권 자	한OOOO		
용 도	아파트	채무/소유자	김OO	매각기일	09.07.22 (337,000,000원)
감 정 가	**400,000,000** (09.03.04)	청 구 액	241,849,940	종국결과	09.09.29 배당종결
최 저 가	**280,000,000** (70%)	토지면적	81.0 m² (24.5평)	경매개시일	09.02.25
입찰보증금	10% (28,000,000)	건물면적	137.0 m² (41.4평) [52평형]	배당종기일	09.05.15
조 회 수	· 금일조회 **1** (0) · 금회차공고후조회 **207** (0) · 누적조회 **210** (1) ( )는 5분이상 열람 [조회통계] · 7일내 3일이상 열람자 **0** · 14일내 6일이상 열람자 **0** (기준일-2009.07.22 / 전국연회원전용)				

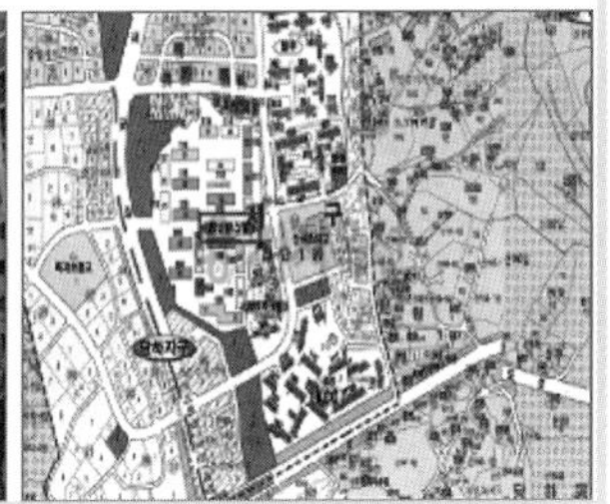

첫 유치권에 도전

경매에 첫발을 디딘 지 2년 정도 지나 몇 건의 낙찰을 처리하며 경험이 쌓이자 한 지인과 공동으로 인천시 서구의 유치권이 신고된 아파트 물건에 도전했습니다. 이 물건의 감정가는 3억 5,000만 원이었으나, 1회 유찰되어 최저가는 2억 4,500만 원으로 저감됐습니다. 2차 입찰을 불과 일주일 앞둔 2010년 3월 17일, 3,500만 원의 유치권이 신고됐습니다.

법원의 임차조사 현황을 살펴보면, 소유자가 2005년 7월 전입한 상태에서 경매개시결정등기가 기입되기 한 달 전에 임차인이 세 명이나 급하게 임대차계약을 맺고 전입했습니다. 유치권자를 포함한 이 임차인 세 명은 당시 기준으로 주택임대차보호법상 각각 1,200만 원씩 배당받을 수 있었습니다.

정황상 허위 임차인이라는 추측이 가능한데, 마침 채권은행에서는 유치권이 신고된 날 '임차인 배당배제 신청서'를 제출한 상태였습니다. 입찰 결과 최저가보다 500만 원을 더 쓴 제가 2억 5,000만 원에 낙찰을 받았습니다. 2등은 낙찰 후 만난 유치권자로 저보다 약 500만 원 낮은 금액에 놓쳐서 매우 아쉬워했습니다. 막상 낙찰은 받았지만 유치권 신고금액인 3,500만 원의 손실이 발생할 수도 있어 유치권이 처음이었던 저로서는 강제집행 전까지 잠을 제대로 이루지 못했습니다.

유치권 신고서를 살펴보니 건설, 인테리어로 사업자등록을 한 업체에서 받은 견적서가 있었습니다. 조금 과하다 싶기는 했지만 필요비, 유익비에 맞춰 충실히 유치권 신고서를 작성하려는 모양새를 갖추고 있었고, 입금표까지 제출돼 있었습니다. 유치권자를 만나 협상을 시도했지만 너무나 자신만만한 태도로 공사대금 3,500만 원을 지급해줄 때까지는 이사 갈 뜻이 없다고 밝혔습니다.

나만의 Tip

법원에 제출된 유치권 신고서는 채권자 및 채무자 그리고 최고가 매수인 등 이해관계인만 열람, 복사가 가능하고 일반 입찰 참여자는 열람이 불가능합니다. 유치권의 함정이 바로 여기에 있습니다.

내용증명으로 공방

유치권자와의 면담 이후 유치권이 인정되지 않으므로 점유를 이전해달라는 내용증명을 몇 차례 보냈고, 상대방도 내용증명을 통해 답장을 해왔습니다. 법률사무소에서 작성해줬다는 사실을 누구나 알 수 있을 정도로 법률용어로 가득 채워진 내용증명이었습니다.

2010년 4월 잔금 납부와 동시에 유치권자 및 임차인들에 대한 인도명령 신청서를 작성해 법원에 제출했습니다. 제가 인도명령 신청서에 적시한 유치권이 인정되지 않는 이유는 아래와 같습니다.

- 채권자가 '임차인 배당배제 신청서'에서 밝힌 바와 같이 가장 임차인 점
- 견적서에 적힌 섀시 교체비용 1,200만 원에 대해 외부에서 다른 층과 함께 찍은 사진을 증거로 제출해 아파트 준공 당시의 섀시와 같은 제품임을 주장

인도명령 신청서를 법원에 제출하고 나서 며칠 후 유치권자를 '경매 방해 및 사기미수죄'로 경찰에 고소했습니다. 잔금 납부 후 두 달이 지난 2010년 6월 유치권자가 제기한 항고가 기각되면서 인도명령 신청 사건이 승리로 종결됐습니다. 며칠 뒤 진행된 강제집행은 약 네 시간의 대치 끝에 겨우 문을 열 수 있었던 매우 드문 사례였습니다.

네 시간의 혈투

문을 두드려도 인기척이 없어 열쇠 기사가 도어록을 열자 안에서 유치권자가 한 손으로는 문고리를 잡고 다른 한 손으로는 도어록을 잠그느라 여념이 없었습니다. 집행관이 문을 열라고 하자 유치권자가 경찰을 불러달라고 하기에 불러줬으나, 그래도 열어주지 않아서 결국 경찰은 돌아갔습니다.

이 와중에 한 노무자가 공구로 발코니 창문을 깨려던 순간 집행관이 제지했고, 철문을 뜯고 들어가려고 공구를 쓰는 바람에 문도 휘었습니다. 이런 혼돈의 상황 속에서 유치권자인 아주머니가 문 안쪽에서 느꼈을 공포를 생각하니 측은해지더군요.

장시간의 대치 끝에 법무사 배지를 단 유치권자의 사촌오빠라는 사람이 나타나자 그제야 안으로 들어갈 수 있었습니다. 법무사 배지를 단 사람은 인도명령에 대해 항고했다고 주장했지만, 이미 이틀 전에 항고가 각하된 사실도 모르는 것을 보면 경매는 초보가 아니었나 싶습니다. 이를 통해 저간의 사정을 알게 됐습니다.

집행관이 충돌을 우려해 합의를 종용하기에 못 이기는 척 보름 뒤에는 집을 비워준다는 확인서를 받고 철수했습니다. 그날 저녁 다시 그 집에 들러보니, 탕수육에 소주를 시켜놓고는 아연실색한 상태로 대책회의를 하고 있었습니다.

보름 뒤에도 약속을 이행하지 않자 2010년 7월 15일에 재집행을 했습니다. 재집행일에는 원래의 유치권자는 보이지 않았고, 새로운 남성 두 명이 점유를 이전받았다며 유치권자라고 주장했습니다. 순간 당황스러웠지만 집행관이 대항력이 없다는 말로 그들을 설득해 내보냈습니다.

허위 유치권자 두 명에게 통쾌하게 복수

강제집행도 완료됐고 사건도 종결됐지만 저는 '소심한 복수'를 이어나갔습니다. 앞서 경매방해죄 고소건은 무혐의 처리되어 항고했으나, 채권은행이 저보다 먼저 같은 죄명으로 고소했던 탓에 '공소권 없음' 처리됐습니다. 채권은행이 제기한 고소건은 기소 의견으로 인천지방법원에 회부되어 최초 유치권자와 두 번째 유치권자 모두 재판을 받게 됐습니다. 항고장 제출 시 명도가 끝났으므로 아파트 내부 사진을 찍는 등 중요한 입증 자료를 만들어 채권은행 측에 전달했습니다.

형사재판이 열리는 동안 증인으로 참석한 채권은행 담당자에게도 지속적인 조언과 함께 자료를 건네주며 적극적으로 협조했습니다. 결국 2011년 9월 인천지방법원에서 두 명의 허위 유치권자는 각각 6개월의 실형을 선고받았습니다. 이들이 법원 경위의 안내를 받아 퇴장하자 방청석은 크게 술렁였습니다.

유치권자를 상대로 손해배상 청구소송을 제기했던 채권은행이 3,000만 원을 받고 합의해주자 두 사람은 약 3개월 뒤 풀려났습니다. 저는 임료에 의한 부당이득금 반환 청구소송으로 판결문을 받은 뒤 유체동산 경매를 신청해 집행까지 함으로써 복수를 완료했습니다.

알고 계신가요? '이해관계인 제보' 서비스

지지옥션의 '이해관계인 제보' 서비스는 채권자, 임차인, 유치권자 등 경매물건의 이해관계자들이 제보하는 핵심 중의 핵심 정보입니다. 이는 등기부등본, 권리신고, 감정평가 등 공부자료로는 알 수 없는 이해관계인들만이 가지고 있는 매우 중요한 정보입니다.

대표적으로 선순위 임차인으로 보이는 임차인의 계약서, 무상임차거주 확인서, 채권자가 보유한 유치권 판결문 등이 이에 해당합니다. 이해관계인 제보는 낙찰자가 인수해야 하는 사항을 파악하고 부동산의 가치를 평가하는 데 핵심이 되는 정보입니다. 이해관계인들은 이런 주요 정보를 함부로 제공하지 않습니다. 지지옥션의 공신력을 믿고 제공하는 것이기 때문에 다른 정보업체에서는 찾아볼 수 없는 차별화된 정보라고 자신합니다.

변호사의 코를 납작하게 만든 유치권 신고 공장

부천 8계
2013 타경 21159 **제조업소**

소 재 지	경기 김포시 대곶면 쇄암리 531-6 [일괄]-8, (10026) 경기 김포시 대곶면 대곶로331번길 307-18				
경매구분	임의경매	채 권 자	검OOO		
용 도	제조업소	채무/소유자	김OO	매각기일	14.02.27 (237,000,000원)
감 정 가	**564,288,000** (13.08.07)	청 구 액	247,670,223	종국결과	14.05.16 배당종결
최 저 가	**193,551,000** (34%)	토지면적	1,235.0 m² (373.6평)	경매개시일	13.08.02
입찰보증금	10% (19,355,100)	건물면적	198.0 m² (59.9평)	배당종기일	13.10.15
주의사항	· 유치권 · 일부지분 · 입찰외 [특수件분석신청]				
조 회 수	· 금일조회 **1** (0) · 금회차공고후조회 **243** (38) · 누적조회 **405** (83) ( )는 5분이상 열람 [조회통계] · 7일내 3일이상 열람자 **10** · 14일내 6일이상 열람자 **5** (기준일-2014.02.27 / 전국연회원전용)				

친구와의 '팀플레이'

경매 6년 차에 접어든 2014년 초, 공사대금 2,000만 원의 유치권 신고된 경기도 김포의 한 공장에 입찰했습니다. 입찰 전 친구와 공동으로 유치권 신고된 아파트를 낙찰 받아 3개월여 만에 매각해 2,000만 원의 수익을 낸 뒤 다음 투자물건을 찾던 중이었습니다. 공장물건에 대한 대출은 제조업으로 사업자등록이 돼 있어야 한도가 높다고 하여, 해당 사업자등록증이 있는 친구 명의로 입찰했습니다.

법원 임차조사를 살펴보면 경매개시결정등기 기입 전 전입신고를 하고 배당신청을 한 개인과 법인이 각각 1,900만 원과 900만 원을 배당받습니다. 경매기입등기 3개월 뒤에 전입 및 확정일자를 받은 한 임차인은 배당을 전혀 못 받습니다.

유치권은 900만 원을 배당받는 업체가 신고한 것으로, 점유 시점이 경매 개시일보다 7개월가량 앞서 있어 깨기가 매우 어려워 보였습니다. 하지만 유치권 배제신청서를 제출한 채권 금융기관을 방문해 설명을 듣고 나니 승소 가능성이 70퍼센트 정도 된다는 것을 확신할 수 있었습니다. 사전 답사 차 현장을 방문하니 커다란 유치권 현수막과 짖어대는 개 한 마리만 저를 반길 뿐, 철문이 굳게 잠겨 있어 공장 내부는 살펴볼 수 없었습니다.

2014년 2월 감정가(5억 6,428만 8,000원)의 42퍼센트인 2억 3,700만 원에 낙찰을 받았습니다. 2등과는 2,200만 원이나 차이가 났지만 그래도 유치권 덕에 저렴하게 낙찰 받은 물건이었습니다. 유치권 신고서와 임대차계약서를 살펴보니 유치권 신고자는 완벽한 임차인이었습니다. 배당을 받는 두 명의 임차인 모두 임대차계약서에 공인중개사의 날인도 돼 있고, 계약 당일 금융거래 내역까지 첨부돼 있어 임차인임을 부정할 수 없었습니다.

낙찰 후 친구와 현장을 찾아가니 임시로 공장을 쓰고 있던 당시 소유자의 친인척으로부터 임차인들에 대해서는 잘 알지 못한다는 얘기를 듣고 승소 가능성이 높아졌다는 것을 느꼈습니다. 공장 내부의 경량 칸막이로 나뉜 곳에는 유치권자들이 점유를 표시하는 표찰을 붙여 놓았고, 마당에는 당시 소유자의 친인척이 사용하는 컨테이너 외에 유치권자가 가져다 놓은 컨테이너가 하나 더 있었습니다. 유치권자의 점유 요건을 갖추기 위한 대비가 남달랐습니다.

변호사와의 한판 승부

임대차계약서의 중개인란에 표시된 공인중개사 사무실을 방문했고, 며칠 뒤 당시 소유자에게 매도했던 이전 소유자와 어렵게 통화가 성사되어 임대차계약의 진실을 알게 됐습니다. 이전 소유자와 당시 소유자가 매매 계약을 체결했으나 잔금을 못 받자 소액 임차인 최우선변제를 노리고 공인중개사 사무실에서 계약서를 작성해 당일 입금한 뒤, 당시 소유자의 계좌에서 다음 날 바로 이체해 갔다는 것입니다. 유치권자의 배후에 이전 소유자가 있었던 셈입니다.

이전 소유자를 찾아가 협상을 시도했지만, 역시나 유치권에 대해 매우 자신 있어 했습니다. 자신들도 법무사가 있으니 법대로 하라더군요. 잔금 납부와 동시에 인도명령 신청서를 제출하고, 유치권자를 포함한 임차인 세 명 모두에 대해 '배당배제 신청서'를 제출했습니다. 이에 채권은행에서도 제 서류를 참조해 '배당배제 신청서'를 제출하자 결국 이들은 배당에서 배제됐습니다. 유치권자는 답변서를 통해 자신들이 진정한 임차인이자 유치권자라고 항변했지만 임차인을 포함해 유치권자에게도 인도명령결정이 떨어졌습니다.

여기까지는 유치권자가 법무사를 통해서만 대응을 했습니다. 안 되겠다 싶었는지 유치권자는 며칠 후 경매 전문 로펌의 변호사를 항고대리인으로 등판시켰습니다. 저는 살짝 긴장할 수밖에 없었습니다.

7월 열린 항고 사건에 대한 심문기일에는 법률 업무를 담당한 저도 법정에 나와 유치권자 측 변호사와 대면했습니다. 상대 변호사는 유치권자가 배당에서 배제된 것이 부당하다고 항변했으나, 제가 조목조목 입증 자료와 함께 이를 반박하자 표정이 어두워지기 시작했습니다. 판사가 심문을 마치려는 순간, 변호사는 결정일이라도 최대한 늦춰달라며 사정했으나 거절당했습니다. 결국 낙찰 3개월여 만에 강제집행을 통해 명도를 완료했습니다.

변호사와의 대결에서 완승을 거둔 뒤 친구와 막걸리를 마시며 조촐하게 승리를 만끽했습니다. 무혐의 처리됐던 유치권자에 대한 형사고소건에 대해 항고했으나, 대질심문 당일 서울고검에서 만나 취하에 합의했습니다.

첫 유치권 사례와 마찬가지로 이 물건도 잔금일로부터 약 1년 뒤,

만족할 만한 수준에서 매각해 수익을 냈습니다. 세금계산서상의 거래처 및 관련된 주소지를 모두 직접 발로 뛰어서 확인하고 녹취해 허위 임차인임을 밝힌 것이 주효한 사례였습니다.

나만의 Tip

인도명령결정에 대한 항고를 하더라도, 강제집행 정지 효력은 없습니다. 강제집행을 정지하려면 공탁금을 내고 강제집행 정지 결정을 받아야만 가능합니다.

부천 3계
2016 타경 1170 **임야**

소 재 지	경기 김포시 대곶면 대명리 184-5 [일괄]신안리 3-8, 184-1, 184-3, 184-6, 외4 도로명주소				
경매구분	임의경매	채 권 자	검OOO		
용 도	임야	채무/소유자	허OO/송OOOO	매각기일	18.02.27 (950,000,000원)
감 정 가	**1,692,477,540** (16.02.15)	청 구 액	515,592,760	종국결과	18.04.26 배당종결
최 저 가	**829,314,000** (49%)	토지면적	5,901.7 ㎡ (1,785.3평)	경매개시일	16.02.02
입찰보증금	10% (82,931,400)	건물면적	0.0 ㎡ (0.0평)	배당종기일	17.10.13
주의사항	· 유치권 · 일부지분 · 일부맹지 · 입찰외 · 농지취득자격증명 특수件분석신청				
조 회 수	· 금일조회 **1** (0) · 금회차공고후조회 **61** (30) · 누적조회 **494** (87) ( )는 5분이상 열람 조회통계 · 7일내 3일이상 열람자 **7** · 14일내 6일이상 열람자 **4** (기준일-2018.02.27 / 전국연회원전용)				

유치권 해결 의뢰를 받다

쇄암리 공장을 낙찰 받은 지 약 2년 뒤인 2016년 7월경, 2014년 당시 제가 유치권자를 상대로 승소한 것을 눈여겨봤던 채권은행의 경매 담당자가 연락을 해왔습니다. 자신들이 경매를 신청해 진행 중인 유치권 신고된 임야물건에 대한 문의였습니다. 저에게 연락하기 전에 변호사 사무실에 문의했으나 변호사가 '유치권이 인정된다'며 수임을 거절했다고 하더군요.

유치권 신고서 및 관련 서류들을 면밀히 검토하고 회의를 거친 끝에 승소 가능성이 매우 높다는 판단이 들었습니다. 이에 제가 근무하는 사무실에서 2016년 8월 '유치권 부존재 소'를 진행했습니다.

등기권리를 먼저 살펴보면 유치권자가 경매 개시 전인 2016년 5월이 물건에 대해 가압류를 했고, 이에 앞서 같은 해 4월에는 공동 소유자 7명을 상대로 공사대금 청구소송을 제기한 상태였습니다. 일단 유치권 신고를 한 법인은 재판 결과에 따라 공사 금액의 변동은 있을지언정 진정한 공사업자임은 분명했습니다.

점유 여부의 경우 법원 임차조사서에는 '현장에 임했으나 이해관계인을 만나지 못해 점유관계 확인하지 못함'이라고 기재돼 있었습니다. 현황조사서 및 감정평가서의 사진에는 컨테이너 1동과 함께 '유치권 행사 중'이라는 현수막이 명확히 찍혀 있었습니다.

민사소송이 시작되자 유치권자는 변호사를 고용하고, 경매개시결정 등기 이전부터 점유한 사실을 입증하기 위한 증인들의 인적사항과 확인서 등을 제출해 저를 곤혹스럽게 만들었습니다. 임야 평지화 작업 중 암석이 많아 발파 공사를 했다고 했지만, 공사비가 4억 5,000만 원까지 나올 리가 없었습니다. 공사비를 부풀렸다는 이유로 '경매방해 및 사기미수죄'로 형사고소장도 접수했습니다.

한마디로 '과유불급(過猶不及)'이었습니다. 유치권자는 무죄를 입증하기 위해 각종 세금계산서 및 공사 일정표 등 수백 페이지에 달하는 자료를 제출했으나 스스로 허점을 드러내며 민사소송을 불리하게 이끌고 말았습니다.

유치권자가 오히려 스카우트 제의

형사고소 사건으로 경찰서에서 조사 중, 저는 채권은행 직원 옆에 앉아 유치권자가 진술하면 조용히 반박 서류를 제출해 그를 도왔습니다. 대질심문을 마친 후 주차장에서 만난 유치권자는 제게 사과하며 오히려 저를 고용하고 싶다고 하더군요. 순간 얼마를 부를까 아주 잠깐 고민했습니다.

민사소송(유치권 부존재 소) 관련 유치권자 측에서 제출한 수백 페이지의 입증 자료 및 증언 내용에 대한 저의 반박 사례 몇 가지를 여기에 소개합니다.

첫 번째는 출퇴근길에 유치권자가 점유하고 있는 것을 목격했다는 증인 세 명의 확인서입니다. 두 명은 주소지와 회사, 그리고 공사 현장이 삼각형의 배치를 보인다는 점을 확인해 통근길이 아님을 입증했습니다. 나머지 한 명은 공사 현장 바로 옆에 주소지를 두고 있으나 형사사건에 제출된 입증 서류를 근거로 '발파공사 시 소음 피해로 인한 위로금을 받은 바가 있으므로 신빙성이 없다'라고 주장했습니다.

두 번째는 직접 점유자로 점유를 주장했던 증인입니다. 법정에 나와 증언까지 했던 이 사람은 채권은행 담당자가 이미 경매신청 전부터 만나 잘 알고 있던 유치권자의 지인이므로 신빙성이 없다고 주장하고, '위증죄'로 형사고소까지 했습니다.

세 번째는 전기를 이 공장에서 임대해 사용했다는 인접 공장 대표의 확인서입니다. 채권은행이 경매신청 전에 촬영한 컨테이너에는 전기 연결선이 보이지 않는 점 등을 들어 신빙성이 없다고 주장했습니다.

이외에도 유치권자는 다수의 증거를 제출했지만 결국 2017년 4월 1심에서 제가 승소했고, 같은 해 11월 소가 기각되면서 1년 3개월에 걸친 치열한 법정 다툼이 끝났습니다. 특히 항소심이 단 한 차례의 변론기일만 잡힌 채 재판이 종결되면서 1심에서 얼마나 열심히 입증하느냐가 관건이라는 사실을 다시 한 번 확인했습니다.

많은 이들이 민사소송만 하면 되지 굳이 형사고소까지 해야 하느냐고 반문하지만, 이 사례처럼 형사고소 시 유치권자가 불리한 증거를 제출하는 경우가 있기에 사안에 따라 적절히 활용할 필요가 있습니다.

이제부터 진정한 경매투자의 시작

제가 오로지 유치권 신고된 물건에만 투자해 수익을 낸 것은 아닙니다. 다만 경매물건 중 유치권에 관심을 가지고 투자하려는 분들에게 제 사례가 참고가 되기를 바랄 뿐입니다. 지난 10년간의 경매투자 과정을 돌이켜보면, 저는 경매전문가가 아닌 경매 · 부동산 관련 '법률전문가'의 길을 걸어왔다고 할 수 있습니다.

현재까지 유치권 신고된 물건을 낙찰 받고, 1심인 인도명령 신청사건에서 패해본 적이 없었던 이유는 입찰 전에 철저히 공부한 뒤 자신 있는 물건에만 입찰했기 때문입니다. 저 또한 수많은 경매투자자들처럼 경매를 전업으로 삼아 롱런하고 싶었기에 일확천금보다는 최소한 손해 보는 일만은 없기를 바랐습니다. 언젠가는 정말 저렴하게 낙찰받아 큰 수익을 내는 날이 오리라 믿으며 주로 특수물건 위주로 입찰했습니다.

기일입찰표를 잘못 적어 1등이었지만 입찰무효 처리되자 이의신청을 통해 다시 최고가 매수인의 지위를 인정받은 사례, 농지취득자격증명원 미발급 문제 처리, 배당이의의 소, 상가 권리금 소송, 기획부동산 사기 등 다양한 부동산 관련 민형사소송을 경험하고 억울한 분들을 도와줄 수 있었던 경험은 제게도 큰 자산으로 남았습니다.

저는 현재까지도 흔히 말하는 '경제적 자유'를 얻지는 못했습니다. 그러나 10년째 경매 업무를 전업으로 하다 보니 어떻게 하면 실패하는지, 성공하는 투자는 무엇인지 이제야 감을 잡았습니다. 지금까지는 학습 및 체험의 시간이었고, 진정한 경매투자의 시작은 지금부터라고 감히 말씀드리고 싶습니다. 앞으로 10년 뒤 어떻게 성장해 있을지 저도 매우 궁금해집니다.

보잘것없는 제 경매 체험담 일부를 소개할 기회를 준 지지옥션에 감사드리며, 추후 기회가 된다면 경매 입문자들을 대상으로 경매 실패사례 및 주의할 사항에 대해 말씀드릴 수 있기를 희망해봅니다.

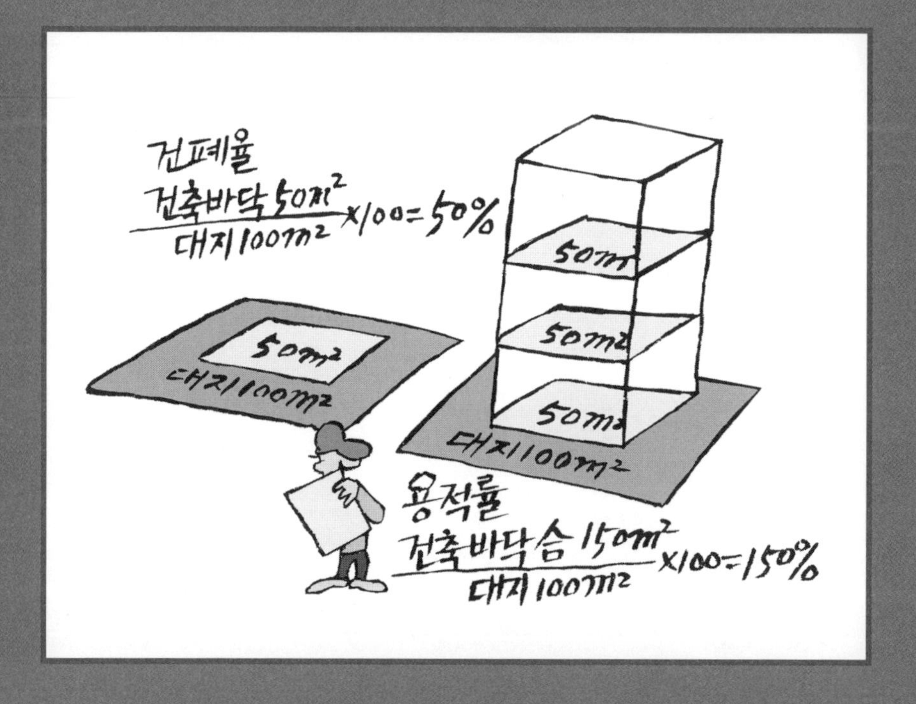
건폐율
건축바닥 50㎡
대지 100㎡
×100=50%
50㎡
대지 100㎡
50㎡
50㎡
50㎡
대지 100㎡
용적률
건축바닥合 150㎡
대지 100㎡
×100=150%

12

노후를 위한 정답을 찾다

도전사례 1 단독주택을 리모델링하다

도전사례 2 세종시 공무원을 임차인으로 섭외한 다가구 신축 프로젝트

노후를 위한 정답을 찾다

정돈영

정통 금융맨에서 경매투자 및 건설업자로의 변신에 성공한 전직 은행 지점장이다. 30년 넘게 몸담았던 직장에서 명예퇴직 후 은퇴자들의 필수 코스인 '치킨집'이 아니라 경매를 통한 토지 매입에 관심을 갖게 됐다는 점만으로도 비슷한 처지에 있는 수많은 직장인들에게 시사하는 바가 크다. 경매투자와 더불어 주택 신축사업을 하고 있는 그는 감이 저절로 떨어지길 기다리지 않고 스스로 길을 만들어내는 경매계의 진정한 프런티어다.

치킨의 유혹을 뿌리치다

모 시중은행 지점장으로 근무하던 중, 중소기업을 경영하던 선배로부터 전직을 권유받았습니다. 때마침 명예퇴직 신청을 받는다는 내부 공지를 보고 잠깐 망설였지만 결국 신청서를 냈습니다. 퇴직 후 휴가 겸 두어 달 쉬다가 새로운 직장에 출근했습니다. 그러나 은행과는 너무도 다른 중소기업에서의 생활은 3개월을 넘기지 못했습니다. 하루아침에 실업자 신세가 된 것이지요.

쉼 없이 달려온 그간의 삶도 되돌아보고, 앞으로 무엇을 하며 어떻게 살 것인지 찬찬히 고민도 하면서 몇 개월간 이곳저곳을 여행했습니다. 30년이 넘게 직장 생활을 했으나 노후 준비는 시원치 않았고, 그렇다고 아무것도 안 하고 연금, 월세나 받으며 살기에는 너무나도 젊은 나이였습니다.

'앞으로 20년간 할 수 있는 직업을 찾아보자'라는 마음으로 장고에 들어갔습니다. 취업은 50대 후반의 나이인지라 어렵기도 하거니와, 가능하다 해도 누군가의 밑에서 지시받으며 살기는 싫었습니다. 또 그런 일자리는 있다 해도 한시적일 수밖에 없으니 결론은 자연스럽게 창업 쪽으로 향했습니다.

사업하는 동생들은 "'은행원, 공무원, 군인, 교사의 퇴직금은 먼저 보는 사람이 임자'라는 말도 못 들어봤냐"라며 겁을 줬고, 은퇴한 선배나 동료들은 "'아무것도 하지 않는 것이 수익률이 제일 높다'는 말 못 들어봤냐"라며 웃었습니다. 그래도 시작해보자. 아무것도 하지 않으면 아무것도 이뤄지지 않는다. 그렇다면 창업은 어떤 업종을 어디서 할 것이며, 어떻게 찾고 준비하지?

아래와 같이 제 나름의 기준을 정해 체계적으로 접근해보기로 했습니다.

- 30년간의 직장 생활은 영업, 고객만족, 서비스, 경쟁의 연속이었으니 그렇지 않은 일, 즉 스트레스 좀 덜 받고 할 수 있는 일
- 내가 잘할 수 있는 일, 즐겁게 할 수 있는 일
- 유행, 재고, 외상 걱정 없는 일
- 하루 8시간 매여 있지 않고 자유로운 일
- 많은 자본이 소요되지 않으며 리스크가 크지 않은 일

이런 자문자답을 수십 차례 거듭하다 우연히 찾은 결론이 '다가구 주택 신축'이었습니다. 한 차례 신축해 매각한 후 또 다른 토지 매입을 검토하던 중 경매를 통한 토지 매입에 관심을 가지게 됐습니다.

단독주택을 리모델링하다

북부 9계
2016 타경 4150 **단독주택**

소 재 지	서울 성북구 장위동 219-332 (02755) 서울 성북구 장위로15길 74-33				
경 매 구 분	임의경매	채 권 자	명OO		
용 도	단독주택	채무/소유자	김OO	매 각 기 일	16.11.28 (548,330,000원)
감 정 가	**682,963,560** (16.04.17)	청 구 액	100,000,000	종 국 결 과	17.02.23 배당종결
최 저 가	**437,097,000** (64%)	토 지 면 적	175.0 m² (52.9평)	경매개시일	16.03.25
입찰보증금	10% (43,709,700)	건 물 면 적	전체 237.8 m² (71.9평) 제시외 4.7m² (1.4평)	배당종기일	16.06.07
주 의 사 항	· 선순위전세권 특수件분석신청				
조 회 수	· 금일조회 **1** (0) · 금회차공고후조회 **294** (48) · 누적조회 **989** (113) ( )는 5분이상 열람 조회통계 · 7일내 3일이상 열람자 **10** · 14일내 6일이상 열람자 **8** (기준일-2016.11.28 / 전국연회원전용)				

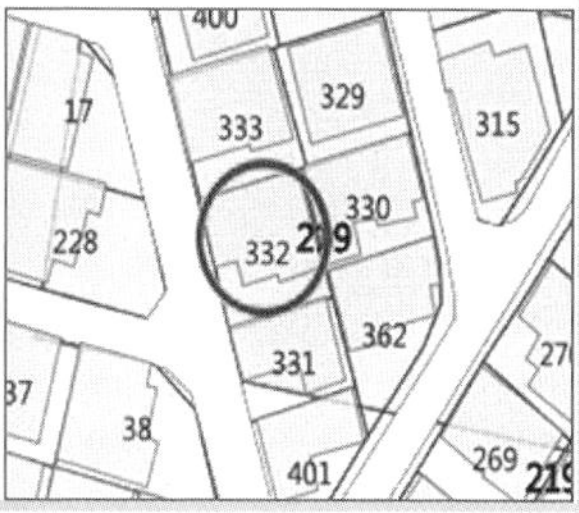

장점을 발휘할 수 있는 경매물건을 찾아

적은 자본으로 시작할 수 있고 부동산 중에서도 비교적 리스크가 낮다고 할 수 있는 작은 평수의 아파트와 다세대주택을 낙찰 받은 후 매각하는 방법으로 몇 번의 경험을 쌓아나갔습니다. 이후 모두가 가격만 놓고 경쟁하는 물건에서는 적정 수익을 내기가 쉽지 않다는 것을 깨닫고 저만의 장점을 취할 수 있는 물건을 찾기 시작했습니다.

서울, 수도권의 단독주택을 낙찰 받아 필요한 만큼의 수리, 리모델링 공사를 한 후 매각한다면 최소한 직접 짓는 것보다는 비용이 적어 경쟁력이 있지 않을까 하는 생각이 들었습니다. 이 물건은 몇 차례 도전 끝에 낙찰에 성공한 사례입니다.

1순위 전세권 등기된 임차인 한 명(2층)과 전액배당 가능한 임차인 한 명(지층)이 모두 배당종기일 내에 배당신청 해 임차인 두 명은 전세보증금 전액을 배당받으므로 신경 쓸 것이 없었습니다. 1층에 거주하는 소유자는 통상적인 이사비 정도만 지급하면 명도는 그리 어렵지 않을 것으로 보였고, 실제 명도도 쉽게 이뤄졌습니다.

현장을 답사해보니 주변은 단독주택, 다세대 밀집지역으로 최근에 신축한 다세대가 상당수 눈에 띄었습니다. 장위 뉴타운 13구역으로 재개발 추진은 취소가 확정된 지역입니다. 대지는 정사각형에 가까운 모양으로 1종 주거지역이며, 대문 앞은 T자 모양의 약 6미터 도로에 접하고 있었습니다. 약간의 경사가 있으며 '거주자 우선주차' 그림이 골목 곳곳에 보였습니다.

건물은 약 70평 규모의 반지하, 1층, 2층에 총 3가구가 거주 가능했고, 남향으로 일조권과 전망은 좋아 보였습니다. 중개업소에 들러 단독주택 매수 문의를 했더니 토지면적 3.3제곱미터(1평) 기준 1,100만~1,200만 원을 얘기하더군요. 1종 또는 2종인지 여부, 건물 상태, 인접한 도로의 너비, 버스 정류장과의 거리 등에 따라 조금씩 다르다면서 두 개의 물건을 추천해줬습니다.

이 물건의 장단점을 요약해보면 다음과 같습니다.

장점	단점
· 중산층 주거지역 · 6미터 도로에 접하고, 대문 앞 T자 도로 존재 · 반지하, 1층, 2층 등 3가구 거주 가능 · 건물 골조상태 양호 · 단독주택 중 대지 대비 건물 면적이 넓은 편 · 세입자 두 명 모두 전세 보증금 수령 · 서울시내 단독주택의 희소성 (단독주택 수 지속적 감소세)	· 준공 후 30년 경과 · 창호 등 모두 교체 필요 · 진입로 경사 · 버스 정류장까지 약 300미터의 먼 거리 · 매각 예상가격 7억 원 내외로 서민 주거지역인 점 감안 시 다소 부담스러운 금액 · 아파트에 비해 매매하기 어려움

입찰 금액을 결정할 때 모두들 자기만의 방식이 있겠지만 저는 다음과 같은 방식으로 접근합니다. 시장조사 자료와 지지옥션의 과거 1년간 낙찰 사례(동일 행정구역의 동일 종류 물건) 그리고 국토부 실거래가 조회 등을 근거로 몇 명이 참여할지, 얼마에 낙찰될지를 우선 추정해보고 예상 금액을 결정합니다.

그리고 단독입찰인 경우와 10만 원 차이로 2위인 경우를 가정한 뒤 어느 쪽이 더 아쉬울까를 상상해 큰 후회가 없을 것으로 예상되는 중간 지점을 찾아 결정합니다. 이에 따라 이 물건은 시세 조사를 바탕으로 3.3제곱미터당 가격은 약 1,150만 원, 시장 가치는 약 6억 800만 원으로 판단했습니다.

알고 계신가요? '동영상 현장답사' 서비스

아무리 지지옥션이 경매물건에 관한 다양하고 심층적인 정보를 제공해도 현장에 직접 가서 봐야 할 필요까지 없어지는 것은 아닙니다. 특히 유치권, 법정지상권 등 특수권리가 얽힌 물건은 반드시 현장에 가서 눈으로 확인하는 노력이 필요합니다. 지지옥션은 경매투자자들의 이런 수고를 조금이나마 덜어드리기 위해 르포 형태의 '현장탐방' 서비스를 제공하고 있습니다.

유치권 등 특수권리 물건에 대해 지지옥션의 현장조사팀이 직접 현장을 찾아 생생한 동영상 및 사진을 찍어서 제공하고, 지지옥션 법무팀은 이를 토대로 냉철한 진단까지 곁들입니다. 이를 통해 투자자분들은 특수권리 물건 현장을 직접 가지 않고도 현장을 눈으로 보고 해당 권리의 진위 여부를 파악하는 데 큰 도움을 받을 수 있습니다.

현장탐방 서비스는 서비스의 특성을 감안해 해당 물건을 클릭하면 바로 보이는 형태를 취하고 있습니다. 따로 탐방 동영상을 보고 싶은 분들은 유튜브를 통해서도 볼 수 있습니다.

명도확인서를 먼저 요구한 임차인들과의 협상

낙찰 대금 완납 후 이해관계인 열람을 통해 소유자와 임차인 두 명의 인적사항과 전화번호를 알아내 개별적으로 통화하고 만났습니다. 소유자는 2개월의 여유만 주면 아무런 조건 없이 이사 가겠다고 해 일단락됐고, 임차인 두 명은 모두 임차 보증금 전액을 법원으로부터 수

령해야 하므로 저에게서 명도확인서와 인감증명서를 받아야만 했습니다.

임차인들도 처음 경매를 당한지라 이사 전에 법원에서 배당받을 수 있도록 위 서류를 먼저 교부해줄 것을 요청해 왔습니다. 그러나 명도확인서 등을 먼저 교부해줬는데도 배당금을 수령한 후 명도를 차일피일 미루면 낙찰자만 낭패를 보게 되므로 그리 할 수는 없었습니다.

이에 임차인들과는 다음과 같이 합의했습니다. 우선 배당금 수령에 따른 서류를 먼저 교부하되, 이는 임차인의 편의를 위해 미리 교부하는 것이므로 불이행 시를 대비해 이행 담보금 300만~500만 원을 낙찰자의 계좌에 미리 예치했다가 명도 완료 즉시 반환하기로 하는 확약서를 받았습니다. 물론 신분증에 의한 본인 여부와 자필 서명, 날인을 확인하는 것은 당연합니다. 아울러 이사 갈 곳의 매매계약서나 임대차계약서를 확인하고 사진을 찍었습니다. 이러한 대비 덕분인지 잔금 납부 후 약 2개월 만에 손쉽게 명도를 완료했습니다.

리모델링으로 재탄생

명도 완료 후 현장에 가서 각 층별로 보수 · 교체할 부분과 수량, 규격 등을 조사하고 계획서를 작성합니다. 그 후 각 항목별로 2~3개 업체를 선별해 가격 조건 등을 협상한 뒤 최적의 업체와 계약하는 방식으로 진행합니다.

오른쪽 표와 같이 직접 공사를 하지 않고 한 업체에 턴키 공사로 의뢰하려고 2~3곳에 견적을 요청했더니 대략 1억 2,000~1억 3,000만 원을 제안해 왔습니다. 약 2개월간 리모델링 공사를 완료한 후 인근 중개업소에 매매를 의뢰했으나 부동산 경기 침체, 금액이 조금 높다는 이유 등으로 상당한 시일이 경과한 후에야 매각에 성공했습니다.

경쟁이 치열할 것으로 예상해 높은 금액(2위와 6,800만 원 차이)으로 낙찰 받으면서 수익으로 실현해야 할 상당액을 놓쳤습니다. 또한 서민 주거지역에는 다소 부담스러운 금액(6억 8,000만 원)으로 매도해 예상보다 긴 시간이 소요됨으로써 금융 비용이 늘어나 수익이 줄었습니다. 즉 리모델링 공사 완료 후 매도 계약까지 약 10개월가량 소요되어 투자 효율성이 상당히 낮아졌습니다. 그러나 직접 리모델링 공사를 해보는 좋은 경험을 할 수 있었습니다.

경매를 통해 시세보다 10~20퍼센트 정도 낮은 가격에 매입한 후 직접 리모델링 공사를 진행한다면 경쟁력 있는 상품을 만들어낼 수 있을 것입니다.

보수공사 항목	금액(원)	비고
쓰레기 반출, 기름탱크/물탱크 제거	1,100,000	마당과 옥상의 대량 쓰레기
1층 난방배관 누수	600,000	
지하층 욕실/주방 구조 변경 등	450,000	
화장실 전체 수리	6,000,000	3개 층
싱크대 교체	4,500,000	3개 층
하이섀시 창호 교체	10,500,000	22개 세트
방문틀/방문 교체	5,400,000	17개 세트
1층 도시가스 보일러 교체	600,000	
대문/방범 난간대 교체	2,500,000	
출입문 2개, 방화문 1개 교체	1,500,000	
실내 단열재, 인테리어 목수작업	7,200,000	3개 층 내부 인테리어 목수작업
건물 외벽, 옥상 등 페인트 도색	5,250,000	외벽 전체와 실내 일부
도배/장판	6,500,000	3개 층
LED 전등 및 콘센트 교체	2,100,000	
도시가스 배관 이전 등	500,000	
지층 주방바닥 등 미장공사	450,000	
디지털 도어록	400,000	4개
인건비 및 경비(식비/소모품비 등)	10,400,000	2~3개월
합계	70,000,000	

나만의 Tip

리모델링 시 각 부문별로 공정이 완료되고 점검을 마친 후에 대금을 지불해야 합니다. 인건비를 중간정산 해줬더니 다음 날 나오지 않고, 전화도 받지 않는 경우가 있었습니다.

수익률

매수가(부대비용 및 리모델링비 포함) : 647,058,290

vs.

매도가 : 680,000,000

세종시 공무원을 임차인으로 섭외한 다가구 신축 프로젝트

부동산의 가장 중요한 특징과 중요성은 누가 뭐래도 '입지(위치)'입니다. 다가구주택 신축으로 목표를 정했으니 그다음은 후보를 찾는 일이었습니다. 우선 지도를 펼쳐놓고 몇 곳의 후보지를 고르고 대략적인 토지매입 시세 및 임대료 시세를 인터넷으로 검색한 후 현장답사를 떠났습니다.

기초 자료를 들고 가장 먼저 찾아간 곳은 세종시의 밀마루 전망대였습니다. 약 100미터 높이의 전망대에 올라가 추가 정보도 얻고 세종시 전체를 동서남북으로 내려다볼 수 있어서 좋았습니다. 저는 현장조사를 할 때 그 인근 지역까지 한눈에 내려다볼 수 있는 높은 곳에 올라가 보는 것을 즐깁니다. 이 방법은 꼭 해보시기 바랍니다. 앞서 설명한 경매 사례인 성북구 장위동 일대를 볼 때도 '북서울 꿈의 숲 전망대'에 올랐습니다. 위에서 내려다보면 평지에서 볼 때와는 다른 느낌이 있습니다.

밀마루 전망대를 내려와 중개업소에 들러 정보도 얻고, 시세 조사도 병행했습니다. 우여곡절 끝에 찾은 곳은 세종시 조치원읍 남리에 위치한 토지였습니다. 평당가, 임대료 수준 및 임대의 안정성 등을 고려한 결정이었습니다.

- 소재지 : 세종특별자치시 조치원읍 남리 421, 421-1번지
- 대지면적 : 497.5㎡(약 150.5평)를 매입해 약 75평씩 2개 필지로 분할
- 건물면적 : 463.29㎡(약 140평)×2개동 = 926.58㎡(약 280평)

  다가구주택(15가구)×2개동

  1층 필로티 구조 주차장, 2~4층 주택(원룸 9개, 투베이 6개)

수익성이 가장 중요

수익형 부동산을 신축하거나 매입하려고 한다면 무엇보다도 먼저 해야 할 것이 '수익성 검토'입니다. 즉 완공 후 건물의 임대료 수입이 얼마나 되느냐가 사업 추진 여부를 결정짓는 첫 번째 관문이자 의사결정의 전부라 해도 과언이 아닙니다.

우선 신축 시 예상 소요비용을 가능한 한 정밀하게 산출합니다.

투자항목	금액(원)	비고
토지매입비	400,000,000	취득세, 등기비, 중개료, 지적측량비 등 포함
설계/감리비	19,600,000	평당 7만 원
건축비	924,000,000	평당 330만 원
부대비	20,000,000	전기/수도/가스 인입비, 산재/고용보험료 등
기타 경비	25,000,000	월 500만 원 × 5개월

임대 중개료	9,000,000	30만 원 × 30가구
합 계	1,397,600,000	

둘째, 철저한 임대료 시장조사를 통해 준공 후 예상 임대수입을 산출합니다.

구분	금액(원)	비고
원룸	64,800,000	월 30만 원 × 18개 × 12개월
투베이	57,600,000	월 40만 원 × 12개 × 12개월
합 계	122,400,000	

이 물건의 경우 원룸 보증금 300만 원, 투베이 500만 원인 경우 보증금 합은 총 1억 1,400만 원입니다. 관리비는 원룸 3~4만 원, 투베이 4~5만 원씩 별도로 받아 공동 전기료, 수도료, 청소비 등으로 지출합니다.

임대 시 일부를 전세로 바꾸면 수익률은 달라질 수 있고, 금리 연 4~5퍼센트의 담보대출을 받을 경우 수익률은 더 높아집니다. 보다 정밀한 수익률을 구하려면 임대료 수입금액 산출 시 평균 공실률을 감안해야 하고 재산세, 건물 수선 충당금 등의 비용을 차감하는 것이 합리적입니다.

건물을 신축해 임대를 완료한 후 계속 보유하지 않고 매각할 계획이라면 적정 이윤을 계상해야 하므로 그만큼 수익률은 낮아지게 됩니다. 이처럼 주변 지역의 임대료 시장조사와 수익성 분석이 완료돼야 해당 토지의 매입 여부를 결정할 수 있게 됩니다.

토지 매입 시 지목, 건폐율, 용적률 등 확인해야

수익성 검토가 완료되어 사업성이 양호하다고 판단되면 토지매입 작업에 착수합니다. 토지 매매계약 전에 검토할 사항은 대략 다음과 같습니다.

첫째, 지목과 건폐율, 용적률 등을 확인해야 합니다. 토지는 사용 용도에 따라 28가지의 명칭이 있는데 이를 법률용어로 '지목'이라고 하며 전, 답, 과수원, 목장용지, 임야, 대지 등으로 분류합니다. 대지가 아닌 전, 답, 임야 등을 매입해 주택 등을 건축하려면 농지전용, 산지 개발허가 같은 절차를 거쳐 지목을 대지로 바꿔야 하는데 이때 상당한 비용이 발생합니다.

지목과 함께 반드시 확인해야 하는 건폐율(건물의 바닥면적 제한)과 용적률(건물의 총면적 제한)은 토지의 효용가치를 정하는 척도입니다. 예를 들어 건폐율 60퍼센트, 용적률 200퍼센트인 토지 100제곱미터를 매입해 건축한다고 가정하면 이곳에는 바닥면적 60제곱미터, 연면적(지하

층을 제외한 면적의 합계) 200제곱미터의 건물을 지을 수 있습니다. 특별한 사정이 없는 한 건폐율과 용적률은 높을수록 좋습니다.

둘째, 법률 등에서 정한 제한 사항을 확인해야 합니다. 용도지역 분류 기준에 따라 도시지역, 관리지역, 농림지역, 자연환경 보전지역 등으로 분류되고 도시지역은 다시 주거지역, 상업지역, 공업지역, 녹지지역으로 분류됩니다. 이 중 개발제한 구역, 접도구역, 문화재 보호구역, 군사보호 구역, 학교정화 구역, 도시공원 구역처럼 개발이 불가능하거나 제한을 받는 곳은 아닌지 철저히 살펴봐야 합니다. 재개발 진행 등으로 정비구역으로 지정돼 있다면 신축이 제한되는 것은 당연합니다.

셋째, 토지의 모양과 인접한 도로의 너비 등을 확인해야 합니다. 토지의 경계선이 불규칙하다면 같은 면적이라도 정사각형이나 직사각형에 비해 그 활용도가 많이 떨어집니다. 이는 면적당 단가 비교 시 반드시 감안해야 하는 사항입니다. 또한 동일한 직사각형 토지라 하더라도 특별한 사정이 없는 한 짧은 면보다는 긴 면이 도로에 접해 있을 때 효용성이 더 올라갑니다. 도시에서는 폭 2미터 정도만 도로에 접해 있는 일명 '자루형 토지'도 흔히 볼 수 있는데, 이곳에는 주차장 기준을 충족해야 하는 다가구주택 등의 신축이 불가능합니다.

넷째, 일조권 제한, 완공 후 건물의 방향, 공사의 용이성과 민원 가능성, 그리고 인근 기피시설 유무 등을 살펴야 합니다. 점검해야 할 사항을 요약하면 다음과 같습니다.

- 토지의 지목(대지, 전, 답, 임야 등)
- 용도지역, 용도지구, 건폐율, 용적률(가장 중요하며 토지의 가치를 좌우)
- 개발제한 구역, 접도구역, 문화재 보호구역, 군사보호 구역, 학교정화 구역 등 규제 여부
- 토지의 모양과 인접한 도로의 너비

  (다가구주택의 건축 허가를 받으려면 최소 4미터 이상 도로에 접해야 함)
- 다가구, 다세대 신축 시 가구당 주차장 확보 기준

  (대부분 지방자치단체에서 조례 등으로 규정)
- 인접 토지의 일조권에 따라 신축 건물의 높이나 위치가 제한받는지 여부(해당 토지의 북쪽에 도로, 공원 등이 있는 경우 일조권 제한에 매우 유리)
- 신축 시 건물의 방향과 전망(남향이면 유리)
- 전기, 수도, 도시가스 공사 시 인입거리
- 오 · 폐수의 하수종말처리 가능 여부

  (정화조를 매설해야 하는 경우 추가비용 발생)
- 인근 기피시설(장례식장, 주유소, 충전소 등) 유무
- 학교, 지하철, 기차역, 버스 정류장, 시장, 백화점 등으로부터의 거리
- 주변 편의시설 유무(병원, 약국, 편의점 등)
- 1층에 상가 신축 가능 여부(상가 임대료 수준이 주거용보다 높다면 적극 검토)
- 건축공사 시 민원 발생 가능성 및 공사의 용이성

  (크레인, 레미콘 차량, 펌프카 등의 진입 가능 여부 및 작업 난이도 수준)

- 산업폐기물 등 야적 여부
- 무단 농작물 경작 여부

  (인근 주민이 무단으로 농작물을 경작하고 있을 경우 임의로 처리할 수 없음)
- 연약 지반인지 여부

  (연약 지반인 경우 기초공사 시 파일 공사비 추가 발생)
- 다가구, 다세대 주택을 신축했을 때 인근 동종 건물과의 비교우위 정도(임대료 수준이 동일하다면 신속한 임대 가능)
- 주변 다가구, 다세대 주택 등의 매매, 임대 여건(전반적인 수요공급 현황)

토지 매입 후에는 설계 · 감리업체 선정

이와 같이 수많은 항목을 검토해야 하므로 현실적으로 매우 힘든 작업이고, 순간 방심하면 중요한 항목을 지나칠 수 있습니다. 거래할 설계 · 감리업체를 미리 선정한 후 가설계를 의뢰해 전문가의 점검을 받는 것도 좋은 방법입니다. 그러나 이는 어디까지나 타인의 조언 또는 의견에 불과합니다. 사업 추진 중 문제가 발견되면 그것은 전적으로 본인 책임입니다.

토지 매매계약 체결 시에는 잔금 지급 전에 측량, 건축허가 신청 등을 할 수 있도록 매도자의 위임장(인감증명서 첨부)을 받는 조건으로 계약해야 그만큼 시간을 절약할 수 있습니다. 위임장에는 '지적측량 의뢰,

토지이동 신청(등록전환, 분할, 합병, 지목변경, 등록사항정정 등)을 위해 행정관청에 신청서를 작성, 제출하는 행위 일체의 권한을 위임한다'는 내용을 기재합니다.

토지 매매계약을 완료하고 나면 건축 설계 · 감리업체를 선정해야 하는데 통상 건축면적당 단가를 협상해 계약합니다. 이때 대금지급 조건, 준공검사 시 별도 비용 유무 등 최대한 세밀한 부분까지 계약서에 명시하는 것이 좋습니다. 설계 · 감리비용은 다가구주택 기준 건물 연면적 평당 6만~10만 원 내외입니다.

건축설계업체는 설계도 및 시방서를 작성해 건축허가를 취득하는데, 설계도 작성 시 2~3차례 건축주와 협의할 시간을 갖습니다. 이때 건축물에 반영하고 싶은 내용을 적극적으로 제시해 반영하면 됩니다. 완공 후 임대나 매매를 가정해 그 지역에 맞는 면적, 구조는 물론이거니와 창문의 크기나 방향도 검토 대상입니다. 경험이 없다면 다가구, 다세대 주택의 설계 · 감리 경험이 많은 업체를 선정하는 것도 좋은 방법입니다.

건축설계 · 감리 업체가 선정되어 계약을 마치고 나면 시공 준비를 시작합니다. 건설 공사는 설계도에 따라 필요한 자재와 물품을 조달하고, 건설 공정을 계획 · 관리하는 것이 핵심입니다. 건설 공정의 계획 · 관리란 공정 단계별로 업체를 선정, 계약하고 공사 일정을 사전 조율해 전체 공사 기간 동안 쉬지 않고 공사가 이어지도록 하는 것입니다. 이때 선후 공정을 잘 배치하고 여러 종류의 공사가 동시에 진행되면서도 업체 간 서로의 작업에 방해되지 않도록 계획을 세워야 합니다. 착공에 들어가기 전 준비 활동은 다음과 같습니다.

- 현장 임시사무실로 사용할 컨테이너 비치(임차 가능)
- 각종 안전장비(안전모, 소화기 등)와 교통안내 표지판 등 비치
- 한전에 공사 기간 중 사용할 전기시설(계량기 설치) 의뢰
- 상수도 확보(해당 지자체 상수도사업본부)
- 골조공사용 거푸집, 비계 등 건설자재 임차계약
- 골조공사업체(외장 목수) 선정 · 계약
  - 골조공사 완료 조건으로 건물 연면적 기준 평당 단가로 계약
  - 시공에 필요한 부자재는 건축주가 지급하고 목수 식비 등은 골조공사업체가 부담
- 철근시공업체 선정 · 계약
  - 골조공사 완료 조건으로 건물 연면적 기준 평당 단가로 계약
- 철근 발주
  - 건물 연면적 기준 평당 250~300킬로그램 소요(10, 13, 20, 22밀리미터 규격)
- 전기공사업체 선정 · 계약
  - 건물 연면적 기준 평당 단가로 계약(실내 전등 포함 모든 전기시설)

• 설비업체 선정 · 계약

 - 상하수도 설비, 난방설비, 화장실 내부 집기 · 비품 설치 등

건축허가 후 골조공사 진행

공사 준비가 완료되고 건축허가를 받았으면 적절한 날짜를 정해 착공할 수 있도록 착공신고(설계업체가 대행)를 한 후 공사를 시작합니다. 공사 기간 중 소음 등으로 불편을 느낄 만한 주민들에게는 미리 떡이나 과일 등의 선물을 돌리는 것도 좋습니다.

처음에는 터파기를 할 포클레인과 흙을 실어 나를 덤프트럭(흙 반출 문제 포함)이 필요하므로 필요한 날짜와 가격, 대금지급 조건 등을 협의해 정합니다. 소규모 공사는 계약서를 작성하지 않는 것이 일반적이나, 가급적 모든 계약은 계약서를 작성하는 것이 좋습니다.

터파기가 끝나면 바닥에 비닐을 깔고 '버림 콘크리트'를 타설합니다. 다음 날 외장목수팀장은 설계도에 의거, 바닥에 기둥이나 벽체의 위치를 정하고 철근 · 거푸집을 설치할 수 있도록 먹줄로 기초 도면을 그리는 작업을 합니다. 여기에 철근 배근작업이 최초로 진행되고, 그 후에 전기업체가 배선작업, 설비업체가 배관작업을 수행하고 나면 외장목수들이 거푸집을 설치합니다. 거푸집 설치가 끝나면 레미콘 타설 작업을 합니다. 이러한 과정을 반복해 골조공사를 완료합니다.

골조공사 과정에서 가장 중요한 것은 건물의 위치가 허가받은 설계도와 동일하게 시공되는지 여부(기둥, 벽의 위치와 골조의 수직, 수평 등)와 안전사고 예방입니다. 골조공사의 완성도(품질 상태)가 그 후에 진행될 마감공사의 능률을 좌우하게 되므로 매 순간순간 정성을 다해야 합니다.

세밀한 공정 관리가 필요한 마감공사

골조공사가 끝나면 마감공사를 시작합니다. 앞서 설명한 바와 같이 선후 공정을 잘 배열하고 업체 간 서로 방해되지 않는 범위 내에서 여러 가지 공사를 동시에 진행하는 것이 공기 단축에 도움이 됩니다.

- 건물 외벽 단열재 작업
- 창호업체의 창문틀 · 출입문틀 설치작업
- 건물 외벽 대리석, 드라이비트, 도색 등 외장작업
- 내부 각 세대별 난방 및 상하수도 배관작업
- 내부 각 세대 바닥 모르타르 작업(바닥기포 작업)
- 옥상 미장공사 및 우레탄 방수공사
- 화장실 내부 방수공사
- 계단, 복도 바닥 대리석 마감공사
- 화장실, 주방 벽면, 복도 등 타일공사

- 실내 인테리어 목수작업(실내 단열 및 석고보드, 천장 합판 설치 등)
- 창호업체의 창문, 출입문 등 설치작업
- 출입문 디지털 도어록 설치
- 도시가스 배관공사 및 계량기 설치
- 보일러 설치작업
- 상수도 인입공사 및 계량기 설치
- 화장실 내부 천장재 설치
- 화장실 내부 세면기, 양변기, 수전 등 설치
- 도배 및 바닥 장판 시공
- 싱크대, 신발장 등 설치
- 전기 인입, 계량기 설치, 전등, 콘센트 등 전기공사
- 인덕션, 에어컨, 세탁기, TV, 냉장고 등 빌트인 가전 설치
- 침대, 옷장, 책상 등 가구 비치
- 조경공사
- 인터넷, 와이파이 설치
- 건물명 작명, 부착
- 준공 청소

마감공사는 우선순위에 따라 공정이 자연스럽게 진행되도록 하되, 서로 간 작업에 방해가 되지 않도록 일정을 조정하는 것이 매우 중요

합니다. 또한 각 공정별로 최소한 2~3개 업체를 확보해 가격 조건과 작업 일정을 협의하는 것이 효율적입니다. 모든 공정이 마무리되면 각 세대별로 하자 여부를 2~3차례 점검하고 보일러, 상하수도, 도시가스, 전기 등은 정상적으로 작동하는지 시험 가동합니다. 점검이 끝나면 필요서류를 구비해 준공검사를 신청(설계업체 대행)하고, '준공검사필증'을 수령해 '소유권 보존등기'를 함으로써 모든 절차가 종료됩니다.

임대를 위한 마지막 관문

준공 약 1개월 전부터는 임대 · 매매 조건을 요약한 전단지를 만들어 인근 중개업소에 미리 홍보하는 것이 좋습니다. 접촉하는 중개업소 숫자는 가능한 한 많을수록 좋습니다. 이 물건은 정부 부처의 세종 청사 이전이 추진되기 직전인 2013년 9월에 준공됐습니다.

이에 저는 산업자원부, 고용노동부, 환경부 등 이전 대상 정부 부처 공무원들을 대상으로 우편 마케팅을 실시해 30개 가구 중 10개 가구는 중개업소를 거치지 않고 직접 임대차계약을 체결했습니다. 소위 '우수한' 임차인에 속하는 공무원으로 임차인을 구성한 점이 매도 시에도 큰 도움이 됐습니다.

임대와 관련해 다가구주택의 경우 임대, 매매 모두 법정 중개수수료율을 적용하지 않는 것이 관행입니다. 월세는 한 달 치, 전세는 통상 요율의 두 배 이상, 그리고 매매는 주택 한 채당 2,000만 원이 관행처럼 적용되고 있고, 3,000만~4,000만 원을 요구하는 경우도 있습니다. 임대를 위한 마케팅 시 고려해야 할 사항 중의 하나입니다.

조그마한 다가구주택 신축이지만 입지 선정, 사업성 검토, 수익성 분석, 설계 검토, 신축공사(공정 관리), 안전관리, 자금조달 · 집행, 임대 · 매매 마케팅, 세무 처리, 전반적인 리스크 관리 등 수많은 단계가 필요합니다. 더불어 각 단계별로 철저하게 사전 계획을 수립, 관리해야 한다는 점과 어느 한 단계도 소홀히 해선 안 된다는 점을 깨달았습니다. 그중에서도 가장 절실하게 느낀 점을 고르라면 신축 부동산은 역시 '입지 선정'이라는 점입니다.

나만의 Tip

토지매입부터 신축공사를 거쳐 완공 후 실제 임대할 때까지 대략 6~12개월이 소요되므로 이 기간 중에 임대료가 상승하거나 하락할 수 있습니다. 상승은 문제 될 것이 없으나 하락하는 경우 사업의 성패가 달라질 수 있습니다.

만약 원룸 월세가 30만 원으로 조사된 경우 사업 기간 중에 월세가 10퍼센트, 20퍼센트 하락했을 때도 사업 추진에 문제가 없는지, 이른바 '비상시 계획'을 함께 검토해야 합니다.

수익률

매수가(부대비용 및 공사비 포함) : 1,443,949,000

vs.

매도가 : 1,570,000,000

경매의 세계는 무궁무진

2016년 4월경 경매를 시작해 3년이 못 되었으니 아직은 저도 초보 수준입니다. 다만 직장에서 여신 관련 업무를 수년간 담당했던 경험이 있어 기초지식은 제법 있는 편입니다. 어떠한 분야에 전문가가 되려면 최소한 1만 시간의 훈련이 필요하다는 '1만 시간의 법칙'을 진부한 얘기라고 치부할 수도 있지만, 맞는 경우가 더 많다고 믿습니다. 경매뿐만 아니라 모든 일이 그렇듯 공부하고 훈련하고 준비한 만큼 기회는 찾아온다고 믿습니다.

경매는 아파트, 다세대, 단독주택, 상가, 대지, 공장용지, 임야, 전, 답 등 투자 대상이 족히 수십 가지는 됩니다. 동일한 용도의 부동산이라도 소재지, 용도에 따라 검토할 내용과 리스크가 전혀 다르므로 '20개 용도 · 종류×10개 지역'만 가정해도 공부해야 할 경매물건의 종류가 200여 가지나 되는 셈입니다. 즉 자신이 상가를 공부했다 하더라도 그 소재지(서울시, 중소도시, 읍 · 면 지역 등)에 따라 매우 다른 특성을 가지고 있어 동일한 지식으로 접근하면 큰 낭패를 볼 수도 있다는 뜻입니다.

실제 입찰 과정에서 입찰 금액에 0을 하나 더 써넣어(예를 들어 1억 원을 10억 원으로 기재) 입찰 보증금 전액을 날리거나, 중개업소의 매물 시세보다 더 비싼 금액으로 입찰하는 경우도 많이 봤습니다. 결론적으로 경매는 자신이 잘 아는 지역에서, 잘 아는 종류(아파트, 단독, 다세대, 토지 등)의 부동산을 가급적 소액부터 시작해 경험을 쌓아가는 것이 가장 현명한 방법입니다. 경매는 어느 정도의 기초지식은 필수이고 그다음은 현장답사와 낙방 횟수가 고수를 만든다고 믿습니다.

집합건물 연체 관리비 계산 착오

사건개요

- 사건번호 : 2017타경 5026(창원 3계)
- 감정가 : 9,900만 원
- 키워드 : 연체 관리비, 공유부분, 전유부분, 집합건물

이슈

매각대상 집합건물이 감정평가서상 '공실'로 조사되었으므로, 입찰을 검토할 때에는 직영을 할 것인지 등 활용 방안과 임대 수요는 있는지, 연체 관리비가 얼마인지 선행조사가 필요합니다. 이 물건의 경우 일반적인 권리분석에는 문제가 없습니다. 4회 유찰되고 2018년 8월에 단독입찰해 매각가율 25.3퍼센트에 낙찰 받은 바 있는데, 대금을 납부하지 못하고 입찰 보증금을 포기했습니다. 언뜻 보면 대금을 미납할 만한 사유를 추정하기가 어려워 보입니다.

다만 경매를 신청한 채권자가 매각대상 집합건물의 관리사무소(휴앤락관리단)로 보이고, 청구금액이 약 4,600만 원이라는 사실을 감안할 때, 아마 집합건물 연체 관리비를 받지 못해 강제경매를 신청한 것으로 추정해볼 수 있습니다. 이와 관련하여 대법원 판례는 집합건물의 연체 관리비 중 공유부분은 낙찰자가 인수한다고 판시하고 있습니다.

즉 낙찰가보다 관리단의 청구액이 많고, 경매개시결정일이 2017년이어서 그동안 연체 금액이 상당히 증가했을 것이기 때문에, 연체 관리비 인수 문제를 착오해 입찰 보증금을 포기했을 수 있습니다.

시사점

집합건물 연체 관리비는 고액이 아닌 경우가 많아 간과하기 쉬운데, 아파트형 공장이나 규모가 큰 집합건물의 연체 관리비는 고액인 경우가 있습니다. 특히 전체 연체 관리비 중 공용부분이 대략 60퍼센트 이상이므로 반드시 확인하고 입찰해야 합니다. 참고로 연체 관리비의 소멸시효는 3년이므로 소멸시효 중단 등의 사유가 없다면 연체 관리비 중 3년 치 공용부분만 낙찰자가 인수합니다.

1판 1쇄 발행 2019년 2월 1일

글 박진희 · 김정욱 외 10명
편집 강은
발행 지지옥션
발행인 강명주
기획·마케팅 장근석

디자인 All design group
인쇄 올인피앤비

전화 02-711-9114
등록일자 2010년 4월 16일 제2008-000021호
주소 서울 용산구 청파로 49길3, 지지옥션빌딩 7층

ISBN 979-11-959514-2-0 03300
가격 16,700원